Nessa Carey

HACKEANDO EL CÓDIGO DE LA VIDA

Cómo la edición genética reescribirá nuestro futuro

Traducción de
Josep Sarret Grau

BIBLIOTECA BURIDÁN

BIBLIOTECA BURIDÁN
está dirigida por Josep Sarret Grau

Título original: *Hacking the Code of Life*
Publicado originalmente por Icon Books

Edición propiedad de Ediciones de Intervención Cultural/Biblioteca Buridán
Diseño colección: M. R. Cabot
ISBN: 97884-1855017-17-1
Depósito legal: B 22747-2020
Impreso en España

Sumario

Agradecimientos

Una vez más quiero dejar constancia de la suerte que tengo de poder trabajar con un agente tan competente como Andrew Lownie y con un editor tan alentador como Icon Books. Doy las gracias especialmente a Duncan Heath por su extraordinaria paciencia.

El aliento de tus amigos es fundamental cuando tratas de compaginar demasiadas cosas difícilmente compatibles. Menciones honoríficas sin ningún orden en particular a Cheryl Sutton, Julia Cork, Julian Hitchcock, Gosia Woznica, Ellen Donovan, Catherine Winchester y Graham Hamilton.

Igual de atentos son esos amigos y amigas que simplemente comprenden que estás agobiada de trabajo y que no te hacen sentir como una gruñona antisocial. Fen Magnus, Catherine Williamson, Rick Gibbs, Pat O'Toole, Mark Shayle, John Flowerday, Astrid Smart, Joanne Winning y Cliff Sutton son solo algunos de los que me han dado vía libre en este sentido.

Mi suegra, Lisa Doran, siempre me ofrece espacio, tiempo y una provisión inagotable de galletas digestivas para darme ánimos. Le estoy muy agradecida (y también un poco más llenita).

Finalmente, un 'gracias' enorme a mi esposa Abi Reynolds, que pese a saber que me convierto en un auténtico suplicio cuando se avecina la fecha tope, me sigue alentando a escribir un nuevo libro.

Para Abi Reynolds, por supuesto.
Conseguiré el coche

Prólogo

El 28 de noviembre de 2018 un científico chino anunció el nacimiento de dos niñas gemelas, Lulu y Nana. Lamentablemente, no era el típico caso de un feliz padre informando al mundo del nacimiento de dos hijas suyas. De hecho, la identidad de los padres de Lulu y Nana es un secreto. La razón de que He Jiankui, de la Universidad Meridional de Ciencia y Tecnología de la provincia china de Guangdong, hiciese público el nacimiento de las niñas es porque se trataba de un acontecimiento realmente especial. Eran las primeras niñas nacidas con cambios en su material genético deliberadamente introducidos por los científicos. El ADN de las dos niñas había pasado por un proceso llamado edición genética, y es muy probable que si ellas mismas llegan a ser madres también pasen a sus hijos los cambios en ellas introducidos. Su linaje genético ha cambiado para siempre.[1, 2, 3]

Para hacer su trabajo el profesor He Jiankui adaptó las técnicas de la fertilización *in vitro* (bebés probeta). Editó el ADN de los embriones cuando eran apenas un pequeño manojo de células en el laboratorio y luego implantó estos embriones en el útero de su madre biológica.

El anunció provocó una gran consternación entre los investigadores de todo el mundo. La noticia sobre el nacimiento de las gemelas se dio a conocer en una conferencia de prensa, no en una revista científica prestigiosa, de modo que la cantidad de datos que se compartieron en la rueda de prensa distó mucho de ser exhaustiva. Pero incluso a partir de los resultados presentados, otros científicos pudieron deducir que la edición genética no se había realizado de modo correcto. No estaba claro si todas las células habían sido editadas durante las fases del proceso llevadas a cabo en el laboratorio. Porque es posible que estas niñas sean un mosaico de células diferentes y que solo algunas de ellas sean portadoras de los cambios. También parece que el cambio introducido por He Jiankui fue relativamente poco preciso. Desactivó el gen que se había propuesto desactivar, pero lo hizo utilizando una metodología poco elegante que le llevó a su objetivo de una manera un tanto chapucera, cambiando el gen de una forma que nunca se ha dado en la naturaleza.

Podríamos pensar que alguien que estaba planeando crear humanos editados solo se arriesgaría a incurrir en la ira de la comunidad científica si con ello lograba salvar a las niñas de una terrible e inevitable enfermedad genética. Son muchas, por desgracia, las enfermedades donde elegir. Pero no fue esto lo que hizo el profesor He. Lo que hizo fue provocar una mutación en un gen implicado en las respuestas al virus de la inmunodeficiencia humana (HIV-1).

El HIV-1 se acopla a un receptor específico en las células humanas, pero este acoplamiento no es suficiente por sí mismo para que el virus desencadene una infección. Es preciso que también se active otra proteína humana llamada CCR5 para que el virus complete su entrada en las células. Aproximadamente un 10 por ciento de caucasianos (personas de raza blanca de origen europeo) tienen una variación en el ADN de la CCR5 que impide la entrada del virus, y estas personas son resistentes a determinadas variedades del HIV-1.

He Jiankui editó el ADN de Lulu y Nana para que su gen CCR5 no produjese una proteína funcional, pero no creó la misma variante que se encuentra en los humanos resistentes. Dijo en la rueda de prensa que el motivo por el que eligió editar este gen era que el padre de las niñas era HIV-1 positivo. El sida todavía conlleva un gran estigma en China y He Jiankui quería evitar que las niñas se viesen expuestas a estas reacciones negativas.

Pero el problema con esta justificación es que es un falso problema. El HIV-1 se transmite habitualmente mediante los fluidos corporales íntimos. Con unas simples precauciones, es relativamente fácil que los padres eviten transmitir la enfermedad postnatalmente a sus hijos. Así que, en realidad, Lulu y Nana no corrían un gran riesgo de convertirse en HIV positivas. Sí podían, en cambio, tener un riesgo mayor de contraer la gripe, ya que una proteína CCR5 funcional es importante para combatir dicho virus. Nadie sabe si los cambios introducidos por el profesor He Jiankui en el ADN de las niñas las hará susceptibles de contraer esta enfermedad, que es común en China y que puede llegar a ser muy peligrosa.

Aunque los cambios introducidos por He Jiankui hubiesen sido técnicamente perfectos, habrían provocado de todos modos una preocupación enorme. Científicos de todo el mundo han estado debatiendo el poder de la edición genética y particularmente su potencial para cambiar la secuencia genética de un humano para toda la eternidad. Biólogos, filósofos especializados en cuestiones éticas, juristas, legisladores y políticos han estado trabajando juntos tratando de explorar las implicaciones de estas nuevas herramientas y para desarrollar protocolos que garanticen que se usan correctamente y de un modo responsable. Diversos grupos han intentado crear unas normas internacionales para garantizar que se aborden a fondo las cuestiones éticas antes de proceder a la implementación de la ciencia. Todos los implicados reconocen igualmente la necesidad de entablar un diálogo con la opinión pública de sus respectivos países y avanzar paso a paso de forma sumamente cuidadosa.

Con su anuncio, He Jiankui ha hecho añicos este enfoque mesurado, y ahora el resto de la comunidad científica se encuentra a la defensiva tratando de tranquilizar a la opinión pública y de generar rápidamente un consenso sobre el uso de la técnica. A los investigadores les preocupa una posible reacción precipitada de los políticos, que podría llevarles a introducir nuevas regulaciones basadas más en el miedo que en la comprensión científica, y esto a su vez podría tener efectos perniciosos en un ámbito que tiene un enorme potencial para hacer cosas buenas, pero que todavía está en fase de formación. Aunque resulta un poco extraño, el profesor He pareció sorprendido y en cierto modo desconcertado por la reacción de sus colegas. Tan poco preocupado estaba, en realidad, por las implicaciones de sus actos que ya había procedido a crear y a introducir un embrión editado en el útero de otra mujer, de modo que al menos otro niño nacerá probablemente con un cambio permanente en su guión genético.

La condena no ha sido un fenómeno exclusivamente occidental. Las autoridades chinas también se han apresurado a reprobar a He Jiankui. Los artículos relativos a sus otros logros han desaparecido de los sitios web oficiales, y el gobierno se ha unido a las voces que expresan consternación. Esto no es nada sorprendente; China pretende convertirse en un miembro valioso de la comunidad científica internacional. El anuncio del profesor He ha servido simplemente para reforzar la preocupación internacional respecto a la necesaria infraestructura ética y a la integridad de las investigaciones en el campo de la edición genética, y este no es un mensaje precisamente útil para ellos.

Es difícil no sentir un poco de lástima por He Jiankui. No hay tantos científicos destacados que estén expuestos a la ira universal en el triple frente de la competencia científica, la integridad ética y el sentido común político.

Pero en muchos sentidos el aspecto más increíble de esta historia de espectaculares pasos en falso es que haya sido posible. Seis años antes habría sido casi inconcebible soñar siquiera en la posibilidad de llevar a cabo un experimento de este tipo, ya que modificar el genoma de un embrión humano tenía muy pocas probabilidades de funcionar. Pero el paso adelante que dio la ciencia el año 2012 dejó al descubierto la estructura genética de todos los organismos de este planeta, desde los humanos a las hormigas, y desde el arroz a las mariposas. Este avance está proporcionando a todos los biólogos del mundo unas herramientas que les permitirán responder en pocos meses cuestiones que algunos científicos se han pasado la mitad de su carrera tratando de responder. Está estimulando nuevas formas de abordar problemas en campos tan diversos como la agricultura y el tratamiento del cáncer. Es una historia que empezó gracias a la curiosidad, que se aceleró gracias a la ambición, que convertirá a muchos individuos e instituciones en extraordinariamente ricos, y que afectará a todas nuestras vidas. Estamos entrando en la era de la edición genética, y las reglas del juego de la biología están a punto de cambiar. Para siempre.

1
Los primeros días

Homo sapiens
'Hombre sabio'

Así es como los humanos nos hemos llamado a nosotros mismos desde que Carl Linnaeus nos incluyó por vez primera en su sistema de clasificación científica de todos los seres vivos, allá por 1758. Incluso dejando a un lado el sexismo obvio de nombrar a toda nuestra especie haciendo referencia solamente a los machos, ¿es esta realmente la forma más apropiada de describirnos? Al fin y al cabo, el *Cambridge English Dictionary* define la sabiduría como 'la capacidad de utilizar nuestros conocimientos y experiencia para tomar buenas decisiones y emitir juicios razonables." Fijémonos en el mundo que hemos creado, y en el mundo que estamos destruyendo, y podremos empezar a preguntárnoslo. Indudablemente, hemos tenido éxito como especie; podemos afirmar esto gracias al número enormemente desproporcionado de individuos de nuestra especie que hay en el planeta. Pero vistos desde la perspectiva de la mayor parte de los organismos de otras especies, somos una epidemia, una plaga. Así que tal vez deberíamos pensar en un nombre diferente para describirnos a nosotros mismos. Sí, pero ¿cuál?

Tal vez, y pidiendo perdón a todos los eruditos y a los amantes de la lengua latina, podríamos proponer algo así como *'Persona hackus'*. Un humano es una persona que *jaquea* cosas, que las machaca, que las trata con brutalidad.* Porque esto es lo que hemos estado haciendo a lo largo de nuestra historia. Fijaos en esta cueva; ¿no mejoraría si la decorásemos con unos cuantos dibujos de bisontes? Fijaos en este trozo de sílex; podría darle unos golpes con otra piedra de igual o mayor dureza para que al romperse formase unos bordes cortantes con los que podríamos trinchar ese bisonte que hemos cazado. Desarrollamos inicialmente las computadoras para 'descifrar códigos (para 'romperlos') y ganar una guerra mundial, y sesenta años después las estamos utilizando para mostrar a unos extraños la de cosas ingeniosas que somos capaces de hacer con una estantería de Ikea. Hackeamos, apañamos, diseñamos, transformamos cosas: creamos. Somos humanos y simplemente no podemos evitarlo.

Hay un ámbito en el que esta tendencia a hackear la realidad ha tenido un impacto mucho mayor que en cualquier otro. El de la comida. Todos los indicios que tenemos actualmente apuntan a que la agricultura nació hace unos 12.000 años en la región conocida como Creciente Fértil. Múltiples grupos de personas de diferentes entornos genéticos parecen haber practicado la agricultura de forma independiente en el área que actualmente engloba la moderna Palestina, Irak, Jordania, Israel,

---

* Aunque actualmente la acepción más amplia del término *hackear* (o *jaquear*) es la recogida por la RAE como "acceder sin autorización a computadoras, redes o sistemas informáticos, o a sus datos", que es lo que suelen hacer los piratas informáticos y algunos expertos, el significado original del vocablo inglés *hack* es el de *cortar algo con un objeto contundente, por ejemplo con un hacha.* [N.del T.]

la parte occidental de Irán, el sudeste de Turquía y Siria. El paso desde una existencia nómada de cazadores-recolectores hasta los asentamientos agrícolas fue probablemente un cambio gradual, pero un cambio absolutamente determinado por la capacidad humana de *hackear*. Los humanos empezaron a seleccionar los cereales más grandes, las legumbres más prolíficas, y a plantarlos selectivamente. La repetición de este proceso a lo largo de múltiples ciclos agrícolas llevó al desarrollo de unas cosechas más nutritivas, y a la selección de muchos de los cultivos de los que dependemos hoy.

Estos primeros agricultores no solo cambiaron el desarrollo de las plantas. También criaron selectivamente a algunos animales para aprovechar aquellas características consideradas más útiles, desde la leche y la carne de vacas, ovejas y cabras hasta la docilidad y la sociabilidad de caballos y perros.

Las consecuencias de crear fuentes de alimento que permitían a las poblaciones permanecer sedentariamente en un lugar fueron profundas. Los asentamientos crecieron de tamaño y en complejidad. Las jerarquías sociales se vieron reforzadas y mantenidas, y sistemas como la escritura se desarrollaron varias veces, dado que los gobernantes trataban de supervisar y controlar sistemas y poblaciones. El aumento de la producción y la capacidad de almacenar excedentes de alimento en épocas de abundancia, hicieron posible el desarrollo de sociedades en las que los individuos pudieron especializarse, gracias a lo cual se produjo un fuerte incremento en la producción de artefactos culturales.

Es notable considerar que casi toda la actividad humana –gloriosa, desastrosa y en todos los niveles intermedios entre una y otra– ha sido posible construirla gracias a que hemos aprendido cómo hackear el material genético de otros organismos. Seleccionando a aquellos individuos con características que considerábamos útiles o deseables, modificamos las sendas evolutivas de especies vivas. Las doblegamos a nuestra voluntad, hackeando el material genético y cambiando de manera irrevocable los genes supervivientes, que se fueron transmitiendo de generación en generación, desde el arroz a los gallos y desde el sorgo a los gatos siameses.

Por supuesto, nadie, desde los primeros agricultores a los criadores de palomas domésticas que tanto inspiraron a Darwin, tenía la menor idea de que estuviesen distorsionando la genética de otros organismos. Ellos seleccionaban a los individuos basándose en características físicas que podían ver, oír, oler, saborear o apreciar de un modo u otro. Confiaban que la característica en la que estaban interesados fuese 'de pura cepa', o dicho de otro modo, que estuviese presente, o incluso mejorada, en la siguiente generación. Pero no tenían la menor idea de *cómo* estas características se transmitían de padres a hijos.

El primer paso hacia la formalización de una teoría empírica capaz de explicarlo lo dio el monje agustino Gregor Mendel desde la abadía de Santo Tomás en Brno, en lo que actualmente es la República Checa. Mendel cruzó diferentes variedades de guisante de manera sistemática y observó los resultados en la descendencia, contando características como la suavidad o la rugosidad de los guisantes. Determinó que determinadas características se transmitían en unas proporciones concretas, y para explicar estos descubrimientos se refirió a factores invisibles que gobernaban la apariencia física. Estos factores invisibles eran las unidades fundamentales de la herencia.

Mendel publicó su trabajo en 1866 y casi nadie se dio cuenta de su importancia. Solo en 1900 sus hallazgos fueron redescubiertos y se empezó a prestar atención a sus implicaciones. En 1909, el botánico danés Wilhelm Johannsen utilizó por primera vez el término "gen" para describir estas unidades fundamentales de la herencia. Johannsen no especuló sobre de qué sustancia estaban hechos les genes, y no fue hasta 1944 que esta cuestión fue abordada y resuelta por un científico canadiense establecido en Nueva York llamado Oswald Avery. Avery demostró que los factores invisibles de Mendel estaban hechos de ADN (véase la página 10), y de este modo sentó los fundamentos sobre los cuales se erigió toda la investigación genética subsiguiente. Sorprendentemente, nunca recibió el premio Nobel por su trabajo.

Después de esto, el ritmo se aceleró. Menos de diez años después del trabajo de Avery, el arrogante científico británico Francis Crick y su colega norteamericano, todavía más arrogante, James Watson anunciaron que habían resuelto el enigma de la estructura del ADN. Su famoso modelo de la doble hélice se basaba fundamentalmente en los datos generados por Rosalind Franklin, que trabajaba en un departamento del King's College de Londres dirigido por Maurice Wilkins. En esta ocasión, el premio Nobel no tardó nada en ser concedido, y en 1962 recayó en los tres científicos masculinos. Rosalind Franklin había muerto de cáncer de ovario en 1958, a la terriblemente temprana edad de 37 años, y el premio Nobel no se concede nunca póstumamente.

La primera brecha en el muro genético

En 1973, veinte años después de la famosa publicación de la estructura del ADN por parte de Watson y Crick, dos científicos, originarios ambos de pueblos pequeños, colaboraron en un conjunto de experimentos que llegarían a ser legendarios.

Stanley Cohen nació en Perth Amboy, New Jersey, y fue alentado por su padre a desarrollar una verdadera pasión por el conocimiento.[1] Herbert Boyer nació un año después en la ciudad de Derry, Pennsylvania, en una familia muy poco interesada en la ciencia.[2] Ambos se sintieron atraídos por el mundo de la investigación genética, y durante la década de 1970 ambos estaban trabajando en unos prestigiosos institutos californianos, Cohen en la Universidad de Stanford y Boyer en la UCSF, la Universidad de California en San Francisco.

El extraordinario logro de Cohen y Boyer consistió en el desarrollo de una forma de mover el material genético de un organismo a otro. Fueron capaces de seleccionar el material genético que querían mover y transferirlo de un modo que significaba que podía seguir haciendo su trabajo en el organismo receptor. En sus experimentos iniciales transfirieron ADN desde una especie de bacteria a otra. Su siguiente paso adelante fue aún más espectacular. Consiguieron mover ADN desde una bacteria a las células de una rana y demostraron que el ADN podía ser funcional en su nuevo hogar.

Cohen y Boyer habían conseguido nada menos que superar las barreras que habían separado a individuos y especies durante milenios. Las implicaciones de su hallazgo fueron enormes. Desde 1973 en adelante, ningún organismo podría ya ser inherentemente considerado genéticamente inviolado. Los científicos tenían ahora la habilidad de manipular directamente la base más fundamental de cualquier organismo del planeta: su ADN. Había nacido la ingeniería genética.

La mayoría de nosotros estamos familiarizados con el tópico de los innovadores que no son valorados en vida. No son reconocidos y en algunos casos incluso mueren arruinados. Posiblemente el ejemplo más paradigmático de esto sea Vincent van Gogh, pero hay otros muchos, como Mozart o

Edgar Allan Poe. Y como ya hemos visto en los ejemplos de Mendel y Franklin, la ciencia no es inmune a este fenómeno.

Absolutamente nada de esto es aplicable a Cohen y a Boyer. La fama y la fortuna les acompañaron indudablemente. Es verdad que no ganaron un premio Nobel,* pero sí obtuvieron casi todos los otros grandes galardones científicos. Sus patronos colaboraron en la protección del trabajo de Cohen y Boyer patentando sus descubrimientos, una decisión que reportó a las universidades de California en San Francisco y Stanford cientos de millones de dólares. Los inventores reciben normalmente un porcentaje de las ganancias. Por si esto no fuera suficiente, Herbert Boyer fundó Genentech, una de las más exitosas empresas de biotecnología jamás creadas, y que ha producido algunos de los fármacos que más vidas ha salvado y cambiado.

Los científicos de casi todas las disciplinas biológicas cogieron rápidamente el testigo y mejoraron aquella nueva y asombrosa caja de herramientas. La tecnología básica se amplió, y se volvió más rápida, más barata y más fácil de utilizar. Durante casi cincuenta años, estas técnicas proporcionaron los métodos requeridos para producir nuevos e increíbles avances, desde la terapia génica que ha podido tratar y curar enfermedades humanas raras, hasta la creación de variedades de arroz más nutritivas que han podido salvar cientos de miles de vidas cada año. Pero aunque los científicos ampliaron la gama de cuestiones que era posible abordar utilizando estas herramientas, la tecnología permaneció fundamentalmente inalterada y ha sido evidentemente la misma

* Otro investigador, Paul Berg, recibió el premio Nobel en 1980 por su trabajo fundacional sobre el ADN recombinante.

que desarrollaron Cohen y Boyer en los ya lejanos días de los pantalones de campana, los zapatos de plataforma y los primeros episodios de la serie *Hawai cinco cero*.

Pero en 2012 todo esto cambió con el surgimiento de una nueva tecnología que ha alterado una vez más la forma como manipulamos el ADN de organismos vivos. Esta nueva tecnología es barata, increíblemente fácil de usar, rápida y flexible, y es muy posible que sea el chip de silicio que necesitaba la válvula de Cohen y Boyer. Pero para entender por qué, necesitamos mirar con más detalle al ADN.

Curso de introducción al ADN

El ADN es el material genético de casi todos los organismos. El acrónimo significa 'ácido desoxirribonucleico', que parece una especie de trabalenguas. Una forma útil de imaginarse el ADN es hacerlo como si fuera un texto escrito, un guión o un libro. Todo texto escrito consiste en grupos de letras de un alfabeto. En el caso del ADN, el alfabeto contiene solo cuatro 'letras' llamadas A, C, G y T. Técnicamente nos hemos de referir a ellas como 'bases', pero 'letras' probablemente sea una denominación más adecuada a nuestro propósito actual.

Puede parecer extraño que el alfabeto básico de la vida compleja sea tan simple. Pero es mucho lo que puede hacerse con solo cuatro letras si se tiene una cantidad suficiente de cada una de ellas. Cuando sus padres copularon nueve meses antes de tenerle a usted, tanto su padre como su madre contribuyeron con 3.000 millones de estas letras dispuestas en una serie de secuencias muy concretas. En la mayor parte de los 3.000 millones de posiciones, la letra aportada por su padre es la misma que la aportada por su madre. Pero en aproximadamente una de cada 300 posiciones la letra será diferente en su madre o en su padre. Puede que en su madre sea una T y en su padre una G, por ejemplo. Esto significa potencialmente que hay 10 millones de sitios en los que su secuencia de ADN será diferente de la de cualquier otra persona.[3]

Esta es una de las razones de la enorme variedad existente entre los humanos. Tenemos un guión de ADN diferente del de los demás, porque habremos heredado diferentes combinaciones de estos 10 millones de posibles variaciones. También es la razón de que los miembros estrechamente emparentados de una familia se parecen más entre ellos que a los individuos con los que no están emparentados; tenemos más probabilidades de haber heredado variaciones genéticas similares porque hemos compartido unos ancestros más cercanos. Usted se parece a su madre, no a la madre de su pareja.

Del mismo modo, todos los humanos nos parecemos mucho más entre nosotros en nuestro guión genético de lo que nos parecemos a otras especies. La secuencia de letras en el ADN humano es diferente de la de otros organismos, y las diferencias se vuelven más pronunciadas cuanto más atrás tenemos que remontarnos en la historia evolutiva para encontrar un ancestro común. Si comparamos la secuencia de letras de ADN entre humanos y chimpancés, vemos que son similares en un 98,8%.[4] Pero si comparamos a los humanos con los plátanos, la cifra cae hasta el 50%. Esto no significa que seamos mitad humanos, mitad plátano. Hay una serie de complejidades en la forma en que se calculan estas cifras que hace que los números exactos sean engañosamente desorientadores, pero ya nos entendemos.

El descubrimiento de Boyer y Cohen dio a los científicos las herramientas para interrogar y utilizar el material genético de los organismos vivos. En vez de inferir por qué una región particular del ADN era importante examinando lo que sucedía cuando cruzábamos individuos que poseían o no una determinada característica en la que estábamos interesados, podíamos utilizar el propio ADN para hacer la pregunta.

Era posible, pues, comprobar directamente una hipótesis al nivel del propio material genético. Si, por ejemplo, sospechábamos que una determinada región del ADN en una cepa bacteriana hacía que dicho microbio fuese más resistente a un antibiótico, podíamos poner a prueba esta idea rápidamente utilizandso el método de Boyer y Cohen. Bastaba con extraer la región relevante del ADN de una bacteria resistente al antibiótico e introducirla en una que normalmente fuese eliminada por el mismo antibiótico. Si la bacteria genéticamente manipulada se vuelve resistente al antibiótico, podemos estar mucho más seguros de que estábamos en lo cierto respecto a esta región concreta del ADN.

Si pensamos en el ADN como en un alfabeto, la completa secuencia de esas letras en un organismo podemos considerarla metafóricamente como un libro. Esta secuencia completa se conoce generalmente como el genoma. Los genes –las secuencias de ADN que codifican las invisibles unidades mendelianas de la herencia– podemos imaginarlos como los párrafos contenidos en ese libro.

Normalmente estos genes codifican proteínas. Las proteínas son las moléculas que llevan a cabo muchas de las acciones en las células y cuerpos de los organismos vivos. La hemoglobina que transporta el oxígeno en los glóbulos rojos; la insulina que controla la absorción de la glucosa en la corriente sanguínea después de comer, y la rodopsina, el pigmento de los ojos que responde a las señales luminosas, son tres ejemplos de proteínas.

A menos que sea un escritor particularmente vanguardista, lo normal es que el autor de un libro lo divida en párrafos. Y a veces, una vez escrito un párrafo, deciden que no está en el lugar adecuado y optan por trasladarlo a otra parte del libro. Si pensamos en un escritor antiguo –Mary Shelley, por ejemplo– este habría sido un proceso muy engorroso. Pero para un escritor moderno como Stephen King no es ningún problema. Simplemente procede a cortar y pegar. Y esto es en esencia lo que la innovación de Boyer y Cohen permitió hacer a los investigadores: cortar y pegar trozos de genoma.

Normalmente, un escritor corta y pega dentro de un mismo documento, por ejemplo dentro de un mismo libro. Pero nada le impide cortar un párrafo y pegarlo en un libro completamente distinto. Esto fue posible durante la primera generación de ingenieros genéticos, cuando los científicos fueron finalmente capaces de mover 'párrafos' genéticos desde una forma de vida a otra. Cortando un determinado gen/ párrafo de ADN del genoma de una medusa y pegándolo en el genoma de un ratón, los científicos crearon una especie de ratón que resplandecía con un brillo de color verde intenso al ser expuesto a la luz ultravioleta. Posteriormente se desarrollaron miles de otras aplicaciones que tuvieron un impacto mayor en la investigación básica y unas consecuencias prácticas como el desarrollo de cultivos mejorados o como la creación de nuevos tratamientos para curar determinadas enfermedades humanas.

Pese a que los investigadores fueron introduciendo múltiples mejoras en la tecnología básica, seguía habiendo problemas fundamentales que frenaban el progreso. Hacer ingeniería genética con bacterias es relativamente fácil. Sus genomas son pequeños, y es bastante fácil persuadir a una bacteria de que absorba nuevos genes. Es posible generar bacterias genéticamente manipuladas en pocos días. Hacer experimentos similares con mamíferos es mucho más complicado. Para empezar, persuadir a las células de un mamífero para que incorporen nuevos genes es mucho más difícil. Y si lo que se quiere es manipular a un organismo vivo como un ratón, y no solo a unas células de ratón en un laboratorio, es preciso inyectar ADN en óvulos de ratón fertilizados, implantar estos óvulos en ratonas y confiar en que esos diminutos embriones se desarrollen y crezcan bien. Si no lo hacen así, se habrá perdido un montón de tiempo durante el cual la competencia se nos habrá adelantado y la financiación de nuestra beca se agotará y no tendremos nada que presentar para prolongarla o renovarla.

Cuando un escritor hace un cortar-y-pegar en un manuscrito, controla dónde coloca el párrafo que ha movido. Esto está muy bien, porque los párrafos ordenados de manera aleatoria raramente funcionan. Pero con la tecnología original para mover genes de un sitio a otro era muy difícil controlar dónde los insertabas. Esto creó problemas profundos, porque en los organismos vivos la expresión de un gen se ve fuertemente influida por el lugar del genoma donde está. Ponlo en el sitio equivocado y el resultado puede ser como meter a una bailarina en un bloque de cemento o cubrir de pegamento una cama elástica. Los resultados pueden ser interesantemente extraños pero es poco probable que nos den alguna información concreta sobre la actividad normal del gen.

El año 2001 los científicos pudieron acceder finalmente a la secuencia entera del genoma humano, los 3.000 millones de letras de información genética que contiene. No es realmente un libro, es más bien como una gran enciclopedia de muchos volúmenes que ocupa una estantería de dos metros de alto y que ha sido extraordinariamente útil. Nosotros los humanos no somos la única especie de la cual se ha podido registrar este libro de la vida. Los investigadores han secuenciado los genomas de más de 180 especies más, y el número de nuevos genomas secuenciados no deja de crecer.[5]

La curiosidad científica también se ha incrementado durante este período. Cada vez que se introduce una nueva tecnología, aumenta el número de cuestiones que los investigadores pueden abordar experimentalmente. Pero la naturaleza inquisitiva de los científicos significa que siempre queremos investigar de una forma cada vez más sofisticada y compleja. Las limitaciones del enfoque de Boyer y Cohen, pese a las mejoras introducidas durante un período de más de cuarenta años, eran una fuente de frustraciones cada vez mayor.

¿Y qué pasa si en vez de querer averiguar qué es lo que hace un gen entero (todo un párrafo), queremos conocer cuál es el papel exacto de una sola letra? Al fin y al cabo, la diferencia entre una cosa u otra sería como tener una tarjeta de presentación donde, en vez de "diseñador de interiores" pusiera "diseñador de inferiores". Una tarjeta de presentación, por supuesto, es algo muy pequeño y contiene solo una pequeña cantidad de texto. ¿Es realmente posible que una sola de las 3.000 millones de letras que contienen los libros de la vida humana sea igual de importante? Pues sí. Un chico con una sola letra cambiada en un gen concreto de su genoma[6] desarrolla una enfermedad devastadora caracterizada por gota, parálisis cerebral, retraso mental y automutilación de labios y dedos.[7] Y este es solo un ejemplo. Hay cientos y posiblemente miles de trastornos humanos causados por este tipo de errores en una sola letra.

Resultó extraordinariamente difícil, costoso y arduo por el tiempo que requirió utilizar las técnicas originales para hacer cambios en una sola letra de un genoma complejo. Todavía más difícil fue cambiar simultáneamente unas cuantas letras en diferentes posiciones de un libro genético. Pero que seamos capaces de hacerlo es vital si queremos explorar cómo algunas de las 10 millones de letras variables en el genoma humano trabajan conjuntamente para afectar nuestras vidas.

Es por ello que la novedosa tecnología desarrollada desde el año 2012 en adelante ha sido un logro tan importante. Casi de la noche a la mañana los científicos se liberaron de las limitaciones que les imponían las restricciones técnicas de las metodologías existentes. En este nuevo y apasionante paisaje, cualquier laboratorio puede plantearse nuevas y fascinantes preguntas de un modo económico, rápido y fácil, y con una elevada probabilidad de tener éxito al contestarlas, y con un grado tal de precisión que anteriormente no habrían podido ni soñar.

Bienvenidos al maravilloso y en ocasiones inquietante mundo de la edición genética.

2

Creando las herramientas para hackear el código de la vida

Por primera vez en la historia de la Tierra, una especie tiene la capacidad de alterar los genomas de otros organismos vivos, incluido el suyo propio. Gracias a la edición genética, esto puede llevarse a cabo en un laboratorio moderadamente equipado y por personas con unas habilidades científicas relativamente básicas. La capacidad de modificar la materia prima de la selección natural se está mercantilizando. Cada semana se desarrollan nuevas herramientas para hacer que este proceso sea más rápido, más barato, aún más preciso y cada vez más flexible y aplicable. Pero todas estas herramientas son mejoras o modificaciones de la tecnología original. Vale, pues, la pena preguntarse quién inventó este maravilloso y novedoso enfoque, y cómo lo hizo.

La ciencia del progreso es el arte de lo posible

A veces la ciencia progresa de una forma muy directa. Aparece una necesidad y los científicos intensifican sus esfuerzos para encontrar una forma de satisfacer dicha necesidad. Pensemos en la NASA creando la tecnología para enviar astronautas a la luna y, lo que fue aún más importante, para devolverlos de nuevo a la Tierra sanos y salvos, y ello en respuesta a las ambiciones del presidente Kennedy de poner a Estados Unidos a la cabeza del programa espacial. O pensemos en Gertrude Ellion y en sus colegas creando la azatioprina, el primer profármaco que realmente evitó el rechazo en el trasplante de órganos y que convirtió un sueño médico en una realidad clínica.

Pero esta no es realmente la norma en la ciencia, no es así como progresa normalmente la disciplina. Para empezar, este enfoque solo funciona en una fase bastante tardía de una tecnología o ciclo de innovación. Esto no significa que subestimemos el trabajo de las personas citadas en el párrafo anterior, que consiguieron unos resultados fabulosos. Pero las disciplinas correspondientes estaban lo suficientemente avanzadas como para que los objetivos brutalmente ambiciosos que les habían marcado fuesen finalmente alcanzables. La voluntad política es importante, pero no puede superar las imposibilidades técnicas. Cuando la reina Victoria hizo saber a sus súbditos que consideraba conveniente que hubiese una estación de ferrocarril cerca de su mansión campestre en Norfolk, se construyó un ramal con la correspondiente estación. Si la monarca hubiese manifestado que quería que sus más valientes cortesanos fuesen volando a la luna, este objetivo habría inevitablemente fracasado. Sencillamente: no había manera de aproximarse a este objetivo en aquel momento de la historia de la tecnología.

El presidente Nixon declaró la "guerra al cáncer" en 1971, pero el cáncer todavía mata a ocho millones de personas en todo el mundo cada año.[1] En 1971 todavía no conocíamos lo suficiente acerca de las diferentes formas del cáncer como para hacer realidad aquella ambición política.

De hecho, la mayoría de grandes desarrollos científicos y

tecnológicos tienen su origen en unas investigaciones impulsadas por la curiosidad. En 1978, gracias a la técnica de la fertilización in vitro, nació Louise Brown, la primera niña del mundo 'creada en un tubo de ensayo'. Un cálculo efectuado el año 2012 llegó a la conclusión de que 5 millones de personas debían su existencia a esta intervención clínica en sus diferentes formas.[2] Pero esto solo ha sido posible gracias a décadas de una investigación en la biología del desarrollo llevada a cabo desde la primera parte del siglo XX en adelante. La motivación de los científicos que dirigieron toda esta investigación básica no fue el deseo de resolver el problema de la infertilidad humana para que las mujeres que no podían tener hijos llegasen a ser madres. La motivación fue la simple curiosidad respecto a los procesos biológicos fundamentales. Solo cuando el campo de la biología del desarrollo hubo avanzado lo suficiente, la fertilización in vitro se convirtió en una posibilidad real.

Puede decirse lo mismo por lo que respecta a la edición genética. Dado que la edición genética es una tecnología tan revolucionaria que satisface un gran número de necesidades tecnológicas, resulta tentador suponer que cada uno de los pasos que han llevado a su creación ha sido impulsado por el deseo de idear una forma mejor de hackear el genoma. Pero no ha sido así. Lo que sucedió fue que los fundamentos del nuevo campo de la edición genética empezaron a cimentarse porque un científico en España empezó a encontrar extrañas secuencias de ADN en unas bacterias que estaba estudiando.

Cuando las bacterias van a la guerra

Isaac Asimov, un científico y escritor de ciencia ficción enormemente influyente, dijo en cierta ocasión que "la frase más emocionante que puede sentirse en el ámbito de la ciencia, la que anuncia nuevos descubrimientos, no es 'Eureka!' ['Lo encontré'], sino 'Es curioso...'" El campo de la edición genética debe su llegada a la vida a un estudiante de doctorado de 28 años llamado Francisco Mojica, que estaba realizando su tesis de doctorado en la Universidad de Alicante en España. Mojica estaba secuenciando el genoma de una bacteria particular y al analizar los resultados se encontró con unas secuencias que le parecieron raras. No tuvo un momento Eureka, pero, y esto fue lo importante, no descartó aquellas secuencias como una rareza trivial y aburrida. Se dijo: 'Es curioso..."

Poco después Mojica se doctoró y eventualmente formó su propio grupo de investigación. Pese a que apenas tuvo financiación y a que sus colegas en la comunidad científica no mostraron ningún interés por su hallazgo, no consiguió dejar de pensar en las curiosas secuencias que había encontrado. Secuenció nuevos tipos de bacteria y a comienzos del siglo XXI, siete años después de su descubrimiento inicial, Mojica había encontrado equivalentes de aquellas extrañas secuencias en veinte especies diferentes.[3]

¿Qué era lo que hacia que aquellas secuencias pareciesen tan extrañas y que había captado el interés de Mojica? La misma secuencia de unas 30 letras de ADN se repetía muchas veces, pero cada uno de estos 30 bloques de letras estaban separados por unas 36 letras. Las 36 letras eran diferentes unas de otras y Mojica las llamó 'separadores'. Esto se muestra esquemáticamente en la Figura 1.

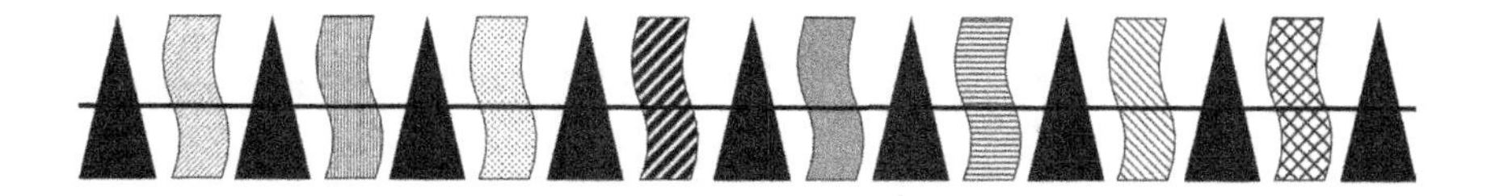

Figura 1. Estructura de las extrañas regiones repetidas que Mojica identificó en las bacterias.

Los triángulos sólidos son las secuencias idénticas de 30 letras. Los otros bloques son las diferentes secuencias de 36 letras que Mojica conjeturó que proporcionaban un registro de infecciones víricas para que el sistema de defensa de la bacteria rehuyese futuros ataques del mismo virus.

Debido a la falta de financiación, Mojica se vio severamente limitado en los experimentos que podía realizar para investigar qué función desempeñaban aquellas extrañas regiones del genoma. Las repeticiones de 30 letras no se parecían a nada de que se hubiese tenido noticia hasta entonces, por lo que era difícil saber cómo empezar a buscar cuál era su función. Así, al cabo de un tiempo, Mojica centró su atención en los fragmentos que había entre las secuencias repetidas, los separadores o espaciadores de 36 letras de ADN que variaban de uno a otro. Una y otra vez introdujo la secuencia de estos espaciadores individuales en las bases de datos informáticas en las que los científicos almacenan los datos que generan al secuenciar los genes y genomas de una variedad de organismos. Al principio no pudo encontrar ninguna secuencia que concordase con los espaciadores. Pero cada día, científicos de todo el mundo cargan más y más secuencias en las bases de datos, y un día del año 2003 Mojica dio con algo.

El espaciador de una cepa de bacterias *E. coli* que había secuenciado hacía poco coincidía con una nueva secuencia en la base de datos procedente de un virus que infecta a estas bacterias. Y no se trataba de cualquier bacteria, sino de *E. coli.* Y lo que era aún más significativo: la cepa de *E. coli* que contenía esta secuencia espaciadora viral era una cepa resistente al virus.

Estimulado por este descubrimiento, Mojica repasó minuciosamente todas y cada una de las 4.500 secuencias espaciadoras que había generado durante sus investigaciones y las entró de nuevo en las bases de datos. Esta vez, 88 de ellas coincidían con alguna secuencia en la base de datos, y en aproximadamente un 65% de ellas la coincidencia era con una secuencia de un virus que infectaba a la bacteria en la que estaba el espaciador.[4]

Revisando el conocimiento que se tenía en aquel momento de las cepas bacterianas y de los virus, Mojica pudo concluir que existía una correlación entre la presencia de un espaciador específico en una determinada bacteria y la resistencia de esta a la infección del virus que contenía el mismo espaciador. Esto le llevó a especular que el espaciador era de algún modo parte de una respuesta inmune que había desarrollado la bacteria para protegerse de invasores agresivos.

Durante un año y medio Mojica intentó publicar los resultados de sus investigaciones. Para los científicos es muy importante publicar en revistas prestigiosas. Esto mejora su imagen, subraya su éxito y aumenta las probabilidades de conseguir financiación para sus investigaciones y también las de que otros investigadores lean sus trabajos, aprendan algo de ellos y hagan que la ciencia avance un poco más. Pero todas las revistas importantes a las que se dirigió Mojica rechazaron su manuscrito. Finalmente, desalentado y preocupado por la posibilidad de que algún otro científico encontrase la misma conexión que había encontrado él y que se le adelantase en la publicación de la misma, la publicó en una oscura revista en 2005.[5]

Fue probablemente una sabia decisión, pues ya había otros investigadores que estaban mostrando interés por aquellas secuencias bacterianas. Al igual que Mojica, tampoco estos investigadores estaban pensando en crear tecnologías para la edición genética. Habían topado con aquellas secuencias mientras investigaban nuevas formas de supervisar determinados agentes para la guerra bacteriológica, o de mejorar la producción comercial del yogur.[6] Y como Mojica, también estos investigadores estaban especulando con la posibilidad de que las secuencias repetidas eran utilizadas de algún modo por las bacterias para protegerse de las infecciones víricas. También era cada vez más claro que había genes codificadores de proteínas en las mismas regiones de los genomas bacterianos en las que estaban las secuencias repetidas, aunque al principio no estaba nada claro qué era lo que hacían exactamente dichas proteínas.

El año 2007, la comunidad científica se dio de pronto cuenta de la importancia de las secuencias bacterianas, cuando un trabajo publicado en *Science,* una de las revistas científicas más prestigiosas del mundo, demostró que las secuencias repetidas conferían protección frente a los virus, y que esto requería también la actividad de las proteínas codificadas por los genes bacterianos cercanos. Básicamente, si una bacteria sobrevivía al ataque de un virus, copiaba partes de los genes virales y las insertaba en su propio genoma, como los espaciadores de 36 letras de las regiones repetidas. Esto confería a la bacteria resistencia frente a cualquier ataque subsiguiente del mismo virus.[7]

Fue en este momento cuando el ritmo de la investigación empezó realmente a caldearse. Los científicos demostraron que durante una infección viral, la bacteria copiaba sus propias versiones de las secuencias repetidas relevantes, las adecuadas al virus que la estaba atacando. Estas copias se pegaban a la región correspondiente del genoma viral. Una vez hecho esto, una de las proteínas codificada por un gen en el ADN de la bacteria cercano a las secuencias repetidas atacaba al ADN viral y lo destruía, poniendo de este modo fin a la infección viral.[8]

Hasta ese momento, toda la investigación la habían llevado a cabo personas interesadas en las bacterias y en cómo estas se protegían de los virus. Pero a partir del año 2008 al menos algunos investigadores empezaron a especular acerca de implicaciones más generales de estos procesos. Los datos experimentales obtenidos de las bacterias dejaban claro que las propias secuencias repetidas eran esenciales para la función inmunitaria, y que tenían que permanecer prácticamente constantes. Pero los científicos podían reemplazar las regiones espaciadoras naturalmente existentes con nuevos espaciadores, y si podían encontrar una secuencia coincidente en el genoma viral, el sistema también podía romper el ADN viral. Dicho de otro modo, los espaciadores eran como cartuchos intercambiables, y esto podía permitir a los científicos destruir cualquier secuencia coincidente de ADN que quisieran destruir.[9]

La cantidad de laboratorios de investigación que trabajaban en este sistema de inmunidad bacteriana empezó a crecer a medida que la naturaleza novedosa y enigmática de los mecanismos subyacentes empezó a captar la imaginación de los científicos. Se desentrañaron los pequeños detalles de la forma en que operaba el sistema en las bacterias, definiendo exactamente qué fragmentos de las secuencias repetidas, y qué proteínas, se requerían para que el sistema funcionase perfectamente.

El artículo definitivo sobre este tema se publicó *online* en la revista *Science* el 28 de junio de 2012.[10] Era el resultado del esfuerzo combinado de los laboratorios de Emmanuelle Charpentier y de Jennifer Doudna, y se basaba sobre todo en un trabajo anterior de Charpentier que había identificado otra secuencia de ADN bacteriano que era fundamental para la respuesta inmunitaria adaptativa. Tres eran los logros más notables que contenía el artículo de las dos investigadoras. El primero era que simplificaban el sistema. En la situación natural en las bacterias, el microorganismo necesitaba crear copias de al menos dos regiones diferentes de su genoma para alcanzar su objetivo en el ADN viral. Charpentier y Doudna crearon una versión híbrida que solamente requería una molécula que contuviese las dos regiones. También demostraron que solo se necesitaba una de las proteínas cercanas para provocar la destrucción del ADN 'enemigo'. Su tercer gran logro fue que podían hacer que el sistema funcionase en una probeta de laboratorio y no solo en una bacteria.

Fue un avance impresionante. Simplificando el proceso y haciendo posible que fuera operativo en un tubo de ensayo, Charpentier y Doudna habían liberado a aquella tecnología, que iba a dejar de estar restringida al mundo bacteriano. Las dos investigadoras eran conscientes de las implicaciones de su descubrimiento, y en el resumen que hacían al principio de su artículo especulaban que su hallazgo "ponía de relieve la posibilidad de explotar el sistema para... la edición genética programable." Pero para ser realmente útil, el sistema tenía que poder funcionar en el interior de las células.

Solo siete meses más tarde se publicó en la misma revista un artículo del laboratorio de Feng Zhang que demostraba que aquel nuevo enfoque realmente funcionaba en las células, incluidas las células humanas.[11] La capacidad de hackear el código de la vida era una realidad.

Cómo funciona la edición genética

Esta nueva tecnología que permite a los científicos hackear el genoma de cualquier organismo del planeta con una velocidad, facilidad, precisión y economía notables es en realidad sorprendentemente sencilla en sus principios básicos. En su versión original utilizaba básicamente los protocolos y materiales creados por Charpentier y Doudna, y contaba solamente con dos componentes importantes foráneos.

Uno de estos dos componentes es lo que se conoce como molécula-guía, hecha a partir del ARN, una molécula estrechamente relacionada con el ADN. Igual que el ADN, el ARN se compone de cuatro letras. A diferencia del ADN, que forma una especie de cadena doble, la molécula de ARN es monocatenaria. Mientras que el ADN forma la icónica doble hélice, compuesta de dos hileras de letras de ADN unidas entre sí, las del ARN forman una única cadena. El hecho de que en el ARN haya una sola cadena es un factor importante en su actividad en la edición genética.

Podemos representarnos el ADN como una cremallera gigante en la que cada diente es una de las cuatro letras del código genético. Durante la edición genética, la molécula-guía de ARN se desliza a lo largo de la cremallera tratando de introducirse entre los dientes de esta. La mayor parte del tiempo esto será imposible, pero si la guía encuentra una región en la que su propia secuencia de letras es la misma que la del ADN, la molécula-guía consigue abrirse camino por la doble hélice. Es fácil utilizar nuestro conocimiento del genoma para crear una molécula-guía que se acople a una sola secuencia de ADN, por ejemplo a una mutación que produce una enfermedad.

La molécula-guía se encuentra ahora allí donde la queríamos, y la fase de focalización de la edición genética está completa. Esta depende del segundo componente, que es una proteína que puede actuar como unas tijeras capaces de cortar la doble hélice del ADN. Estas tijeras no cortan aleatoriamente; no se limitan a dar tijeretazos a cualquier parte del genoma; solo corta allí donde la molécula-guía se ha insertado en el ADN. Esto se debe a que también la molécula-guía contiene una secuencia que las tijeras reconocen. Solo cuando las tijeras se han acoplado a la molécula-guía intrusa proceden a cortar el ADN. El proceso básico se muestra en la Figura 2 (ver página siguiente).

Este corte daña al ADN, pero todas las células contienen mecanismos para reparar el ADN muy rápidamente. De hecho, los mecanismos reparadores a menudo dan prioridad a la velocidad por encima de la precisión, y el resultado es un poco chapucero. Los dos cabos sueltos de ADN acaban uniéndose, pero la unión no es exactamente la misma que la secuencia original de letras. El resultado final de esto es que el gen deja normalmente de ser funcional.

Esta fue la primera iteración de aquello a lo que ahora nos referimos como edición genética* y podemos representárnoslo con la analogía de la tarjeta de visita que hemos utilizado antes en la que constaba erróneamente como profesión 'diseñador de inferiores' en vez de 'diseñador de interiores'. Utilizando la primera versión de la edición genética, se insertarían letras extra en la palabra inadecuada, o se borrarían de ella. 'Inferiores' se convertiría así en 'inferantiores' o

---

* Esta tecnología se conoce como CRISPR-Cas9 y la mayoría de versiones de la edición genética se basan en este mecanismo básico. A menos que se indique expresamente lo contrario, en el texto utilizaremos la expresión "edición genética" como una frase comodín para referirnos a todas las tecnologías que utilizan este enfoque y a sus diversas variantes.

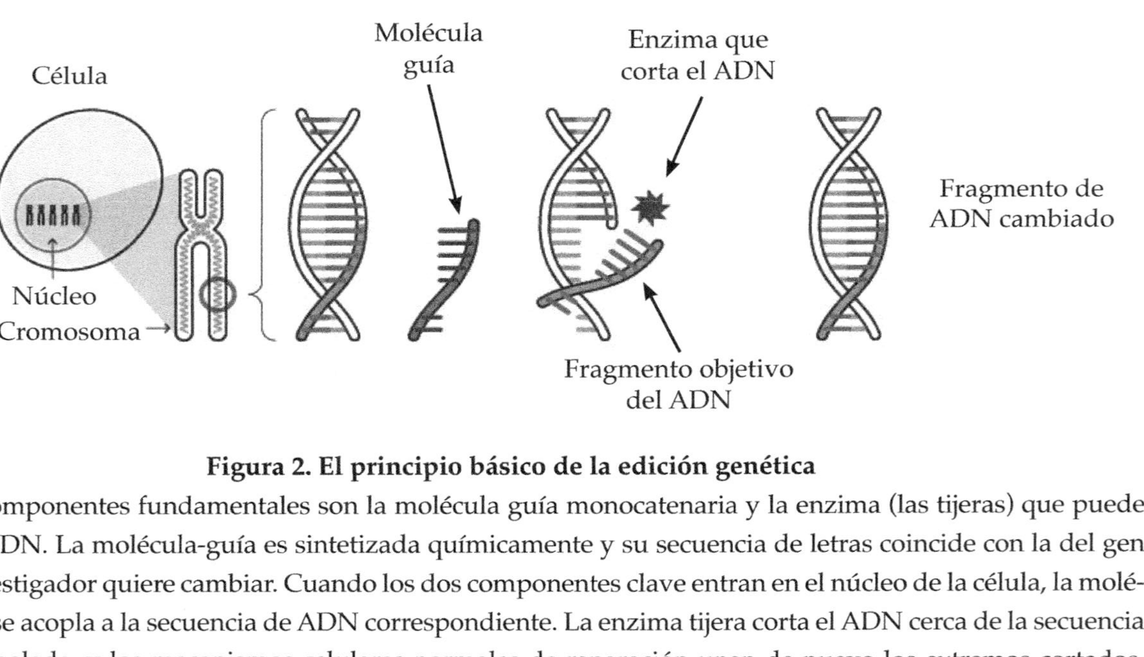

Figura 2. El principio básico de la edición genética

Los dos componentes fundamentales son la molécula guía monocatenaria y la enzima (las tijeras) que puede cortar el ADN. La molécula-guía es sintetizada químicamente y su secuencia de letras coincide con la del gen que el investigador quiere cambiar. Cuando los dos componentes clave entran en el núcleo de la célula, la molécula-guía se acopla a la secuencia de ADN correspondiente. La enzima tijera corta el ADN cerca de la secuencia guía interpolada, y los mecanismos celulares normales de reparación unen de nuevo los extremos cortados, dejando fuera al fragmento que coincidía con la guía. Esto cambia la secuencia de ADN. Todos los tipos de edición genética se basan en este principio, aunque se han hecho numerosas adaptaciones que permiten crear alteraciones cada vez más precisas, por ejemplo la sustitución de una sola letra del alfabeto del ADN por otra.

Fuentes: Adaptada de Reuters; Nature; Massachusetts Institute of Technology.

en 'inior'. Ambas cosas son claramente absurdas y servirían como mucho para que la persona que leyese la tarjeta pensase que su propietario no era la mejor alternativa para elegir los muebles de su nueva casa.

Esto puede parecer que tiene un uso limitado en el arte de la imprenta, pero en genética es una forma fantástica de hacer que un gen deje de funcionar. Y esto puede ser muy útil, porque permite a los científicos comprobar hipótesis acerca de cuál es la función de un determinado gen en una célula o en un organismo, y puede incluso ser terapéuticamente útil si un gen que ha sufrido una mutación codifica una proteína peligrosa.

Por supuesto, hemos de poder introducir la molécula guía de ARN y la proteína cortadora en las células que queremos modificar, pero esto no es especialmente difícil, al menos en el laboratorio. Esto se realiza a menudo utilizando un simple virus que sea muy bueno entrando en las células pero que realmente no cause daño alguno a su anfitrión. Los científicos empaquetan los dos componentes requeridos para la edición genética dentro del virus y luego infectan con él las células objetivo. Una vez dentro de la célula, el virus libera su carga y de este modo da comienzo el proceso de edición genética.

Una de las muchas cosas buenas que tiene esta técnica es que una vez que se ha llevado a cabo un cambio en el genoma, el cambio está allí para siempre. La edición genética introduce alteraciones permanentes en el ADN. No importa si el caballo de Troya viral se rompe o que las tijeras de proteína y el ARN guía se degraden; el cambio efectuado en la secuencia de ADN persistirá.

En las células que no se dividen, tales como las neuronas o las células del músculo cardíaco, la alteración del genoma sobrevivirá durante tanto tiempo como la célula. En las células que sí se dividen, la alteración se transmitirá a todas las generaciones subsiguientes de células. Es un éxito único que dura para siempre.

Las primeras versiones de la edición genética proporcionaron inmediatamente a los científicos una tecnologhía enormemente mejorada para la desactivación de genes. Pero los investigadores no se dan nunca por satisfechos y este sistema básico ha sido espectacularmente hackeado por laboratorios de todo el mundo. Han mejorado y ampliado la caja de herramientas básicas. Ahora es posible hacer reparaciones perfectas cambiando una sola letra en los tres mil millones de letras del genoma humano. Volviendo a nuestra analogía de la tarjeta de visita, esto equivale a decir que somos capaces de cambiar el texto 'diseñador de inferiores' por el de 'diseñador de interiores'.

Pero podemos ir aún más lejos. Si queremos cambiar solamente el gen heredado de mamá y no el heredado de papá, también es posible hacerlo. ¿Tal vez no quiere usted desactivar un gen o cambiar su secuencia, sino solo modificar sus niveles de expresión? Muy bien. Buenas noticias: también puede utilizar la edición genética para hacerlo.

El número de científicos y de laboratorios capaces de modificar el libro de la vida se ha incrementado exponencialmente desde que el año 2012 Charpentier y Doudna robaron la técnica de la edición genética a las bacterias y la introdujeron en el resto del mundo. Veamos algunas de las cosas que se han estado haciendo desde entonces.

3
Alimentar al mundo

La cantidad de seres humamos que hay en nuestro planeta aumenta cada día. La población mundial alcanzó los mil millones en torno a 1800; en 1930 era de 3.000 millones; en 1987, de 5.000 millones, y actualmente la cifra ronda los 7.600 millones y sigue subiendo.[1] Salvo que un meteorito choque contra la Tierra, el año 2023 estará habitada por 8.000 millones de personas, según las predicciones de las Naciones Unidas.[2]

Si preguntamos a la gente si el crecimiento de esta cifra es un problema, la mayoría dirá que sí lo es. Y tendrán razón. Somos una especie de plaga, estamos destruyendo nuestro entorno y acabando con muchos otros organismos con los que compartimos ese delicado globo. Si preguntamos a muchas personas del mundo económicamente más desarrollado qué hemos de hacer para solucionar este problema, la respuesta es normalmente la misma: "La gente tiene que dejar de tener tantos hijos."

Hay dos grandes inconvenientes con esta respuesta. El primero es que cuando decimos "la gente" nos referimos habitualmente a "la otra gente", normalmente la del mundo menos desarrollado. Esto es bastante ridículo, pues el impacto medioambiental de los niños en los países económicamente más desarrollados es mucho mayor que el que tienen en las regiones menos privilegiadas. Un norteamericano típico tiene una 'huella de carbono' 40 veces mayor que la de un habitante de Bangla Desh, por ejemplo.

El otro inconveniente con la respuesta 'la gente tiene que dejar de tener tantos hijos' es que no tiene en cuenta un hecho fundamental. No es el número de personas que nacen lo que constituye un problema para nuestro planeta, sino el número de personas que no mueren en el momento oportuno.

Imaginemos una pareja de 25 años de edad que decide tener dos hijos. Dos hijos es un número razonable de hijos, cierto, porque en teoría simplemente reemplaza a los padres cuando estos mueren. Avancemos rápidamente la cinta de la vida y nuestra pareja tiene ahora solo 50 años de edad, y ahora son abuelos, porque cada uno de sus hijos ha decidido también tener hijos. Aunque han sido responsables como sus padres, y solo han tenido dos cada uno. Veinticinco años después, la pareja original tiene 75 años, y ahora tienen dos hijos, cuatro nietos y ocho biznietos. Hay ahora dieciséis personas en el planeta allí donde en su momento solo había dos.

Actualmente, las tasas de natalidad están cayendo, y ya llevan un tiempo haciéndolo. En 1950, la tasa media gobal de natalidad era de 37,2 nacimientos por cada 1.000 personas y año. Ahora es de aproximadamente la mitad, o sea, 18,5 nacimientos por cada 1.000 personas al año.[3, 4]

Las tasas de mortalidad han seguido las mismas tendencias en el mismo período, pasando de 18,1 muertes por cada 1.000 personas y año en 1950[5] a 8,33 muertes por cada 1.000 personas y año en 2017.[6]

Sobre la base de las actuales tasas de mortalidad, la esperanza de vida en el Reino Unido ha pasado a ser de 79,2 años para los hombres y de 82,9 años para las mujeres.[7] En 1951 las cifras eran de 66,4 y 71,56 años respectivamente.[8]

Mientras la tasa de mortalidad sea inferior a la tasa de nacimientos, la población humana mundial seguirá creciendo. El índice de crecimiento de la población mundial disminuirá si la tasa de nacimientos sigue cayendo, pero los números seguirán aumentando en un futuro previsible.

Las consecuencias del crecimiento siempre en aumento de seres humanos en este planeta son terribles y la competencia por los recursos disponibles no hace más que intensificarse con el paso del tiempo. Una de las áreas de mayor preocupación es cómo podremos alimentar a todo el mundo, y también cómo hacerlo sin destruir los ecosistemas de los que dependemos para tener un futuro.

Aunque a menudo se afirma que no es posible producir suficiente comida para la población humana mundial, esto no es cierto. Lo que sí es cierto es que no podemos producir suficiente comida para alimentar a todo el mundo con la espectacularmente poco sana dieta occidental que se está convirtiendo rápidamente en la norma a medida que las sociedades se van volviendo más acomodadas. El consumo medio de carne per cápita en el mundo industrializado es de 88 kg por persona y año, comparado con los 25 kg en las economías menos desarrolladas.[9] A menos que consigan el forraje en sistemas de bajo impacto, los animales inevitablemente requieren un insumo mayor que el de las plantas para producir una determinada cantidad de alimento humano. En los extremos, en los sistemas de cría intensiva, se pueden necesitar hasta 7 kg de grano para producir un kilo de carne de vacuno.

Así que, probablemente, no podremos mantener los niveles occidentales de consumo de carne, y ciertamente no podemos mantener los niveles occidentales de consumo excesivo general. El 64% de los adultos en Inglaterra tienen sobrepeso, son obesos o padecen de obesidad mórbida.[10] En el caso de EEUU la cifra es todavía mayor, con un 72%.[11] Una consecuencia grotesca de esto es que casi inevitablemente veremos que las tasas de mortalidad globales empezarán a crecer, y la esperanza de vida empezará a caer, ralentizando el índice de crecimiento de la población. Pero el número total de gente en este planeta seguirá aumentando durante muchos años.

A menudo resulta que no podemos producir y distribuir la comida allí donde más se necesita, y este es esencialmente un problema logístico, que se complica debido a la cuestión del despilfarro de comida. En los países con una infraestructura menos desarrollada, una enorme proporción de comida se estropea antes de poder llegar a las personas que la necesitan. En las naciones industrializadas, ingentes cantidades de comida perfectamente nutritiva son rechazadas por la cadena de distribución comercial por razones meramente estéticas. Y una cantidad aún mayor es desechada por las tiendas o la tiran los consumidores porque han pedido más de la que pueden consumir. Globalmente, aproximadamente una tercera parte de toda la comida producida por los humanos se desperdicia.[12]

Si pretendemos poder alimentar a nuestra familia global ampliada, antes hemos de resolver varios problemas importantes. Necesitamos reducir el consumo de carne, evitar comer en exceso y utilizar toda la comida que producimos. Esto requiere cambios en el comportamiento de los humanos; un rápido retroceso de los entornos obesogénicos en los que vive la mayor parte de los habitantes del mundo industrializado; y un *reset* de nuestra actitud respecto a la comida para dejar de considerarla como una mercancía barata y desechable. Desgraciadamente, como individuos, como gobiernos y como sociedades somos extraordinariamente inútiles cuando se trata de tomar decisiones a largo plazo que estén de acuerdo con nuestros intereses. Averiguar por qué somos tan inútiles en este sentido es una tarea que desborda las capacidades de la ciencia, aunque ¿es posible que la ciencia pueda ayudarnos a producir alimentos mejores y en más abundancia? Aquí es donde entra la edición genética.

Acelerando la crianza

Las plantas tienen ciertas características que pueden dificultar hacerlas objeto de cualquier forma de ingeniería genética. Las células vegetales están rodeadas por una espesa membrana, que puede causar dificultades al tratar de introducir nuevo material genético en la célula a través de ellas. Muchas de las especies de plantas comercialmente más valiosas, como el trigo, las patatas o los plátanos, han desarrollado también unos genomas realmente complicados. En casi todas las especies de mamíferos, la célula contiene dos copias de cada gen (una heredada de la madre y una heredada del padre). Pero en varios momentos de su evolución, muchas plantas han duplicado toda la información genómica que contienen. El trigo del pan, por ejemplo, tiene seis copias de cada gen. Así que si queremos cambiar un gen en el trigo del pan, hemos de cambiar las seis copias, lo que hace que esta operación sea mucho más difícil que en el caso de las células de los mamíferos.

Pero las plantas también tienen características útiles que pueden compensar los aspectos problemáticos que presentan para la edición genética. Editando un gen en la pata de un ratón, por ejemplo, no podemos crear un ratón entero editado a partir de esta pata. Pero, como podría explicarnos cualquier jardinero que haya tratado de librarse de una mala hierba persistente como la hierba de San Andrés o la correhuela, muchas plantas pueden producir un organismo entero a partir tan solo de un pequeño trozo de raíz que haya quedado en la tierra de un parterre. Así pues, una vez genéticamente editadas con éxito las células de una planta, a menudo es bastante fácil propagar plantas idénticas en grandes cantidades. Los botánicos se dieron rápidamente cuenta de que las nuevas técnicas para la edición genética podían revolucionar la eficacia, la velocidad y la facilidad en la creación de nuevas variedades de plantas. Las primeras plantas genéticamente editadas se crearon solo un año después de publicado el trabajo original de Doudna y Charpentier por parte de varios grupos de investigación.[13, 14, 15] Desde entonces, los investigadores han mejorado las técnicas y las han ampliado a toda una gama de nuevas especies vegetales.

Podría ser tentador preguntarse qué necesidad tenemos de tomarnos la molestia de editar genéticamente las plantas, dado que durante milenios hemos creado nuevas variedades de ellas simplemente mediante polinización cruzada de aquellas cuyas características nos han parecido, por una razón u otra, más interesantes. Bueno, una de las razones es la velocidad. En el caso de las plantas de maduración lenta como los cítricos, que también tienen una fertilidad baja, se puede tardar una eternidad en determinar si los nuevos frutos tienen las características deseadas y si constituyen una línea pura. Con las modernas técnicas de edición genética, esto podría acelerarse y sería posible completarlo en menos tiempo del que se tarda en redactar una tesis doctoral.

En otros casos puede que en una población haya muy poca variedad natural con la que trabajar. En la década de 1970, la apariencia de la campiña inglesa cambió irrevocablemente cuando la mayor parte de los olmos fueron infectados por un hongo propagado por un escarabajo. El año 2004, los investigadores utilizaron las tecnologías para la secuenciación del ADN para mostrar que casi todos los olmos ingleses eran extraordinariamente similares desde un punto de vista genético. Eran esencialmente clones de un árbol original importado durante las invasiones romanas de dos mil años antes.[16] La falta de variación genética significaba que no había olmos ingleses que fuesen resistentes al hongo y que tratar de crearlos mediante el cruce de individuos sería un esfuerzo inútil. En el futuro, la edición genética podría crear una forma de introducir variedad en una población de plantas genéticamente muy restrictiva.

Otro de los problemas relacionados con las técnicas tradicionales de cría y reproducción lo ejemplifica la fresa Elsanta, una variedad que se encuentra en muchos supermercados. Estas fresas crecen mucho siempre que dispongan de agua en abundancia. Son de color rojo intenso y de aspecto delicioso, y sobreviven bien el transporte sin reblandecerse. Solo tienen un problema: no saben a nada. Esto es debido a que durante la creación de esta variedad, obtenida cruzando los frutos de otros fresales, las versiones de los genes que confieren a las fresas esa maravillosa dulzura evocadora del verano se perdieron junto con las que causan que las bayas se rebandezcan o tengan un color pálido. La edición genética, sin embargo, mantiene la promesa de ser capaz de cambiar solamente aquellos genes que queramos modificar, dejando intactos todos los demás.

Crear mejores cultivos, uno por edición

Prometer es una cosa, y cumplir otra muy distinta. Pero con la extraordinaria velocidad que ha caracterizado al campo de la edición genética, los beneficios potenciales se están cosechando de una forma considerablemente rápida.

Los investigadores están encontrando nuevas formas de minimizar el derroche. Aunque los champiñones son técnicamente hongos, normalmente se encuentran en la sección de verduras de los supermercados, así que los incluiremos aquí. Los champiñones blancos tienen tendencia a volverse marronosos a medida que maduran, y a menudo se desechan innecesariamente por este motivo. Los investigadores han podido utilizar la edición genética para crear champiñones que no se vuelven marrones.[17] Esto podría fácilmente reducir el derroche de alimentos.

Hay una interrelación muy importante entre la comida y la salud humana. Todos conocemos la importancia de una dieta variada y equilibrada, pero ¿qué pasa si uno de los componentes de una dieta típica es precisamente el que le hace enfermar a usted? La celiaquía afecta aproximadamente al 1% de la población. En las personas celíacas, el sistema inmunológico tiene una reacción lesiva ante las proteínas de gluten contenidas en el trigo. Esto daña el revestimiento de las paredes del intestino, provocando diarrea y vómitos, y en casos extremos puede llevar a malnutrición y provocar cáncer de estómago. Un grupo de investigación del Instituto para una Agricultura Sostenible, de Córdoba, España, ha utilizado la edición genética para desactivar 35 de los 45 genes del trigo que producen las proteínas de gluten concretas que desencadenan la sobre-reacción del sistema inmunológico. En un informe que podemos calificar de delicioso, concluyeron que la harina resultante del trigo así manipulado era lo suficientemente buena para crear *baguettes*, pero no era adecuada para cocer hogazas de pan blanco.[18] Celíacos de Francia, felicidades.

La edición genética puede utilizarse para reducir el coste de algunos sabores. Las cervezas tradicionales consiguen su característico sabor con el uso de lúpulos en el proceso de elaboración. Los lúpulos son caros y difíciles de cultivar y de cosechar en un entorno agrícola normal. Es un cultivo que consume mucha agua, aproximadamente 50 jarras de agua por cada jarra de cerveza producida. Los investigadores de la Universidad de Berkeley, California adaptaron tecnologías de edición genética para que la levadura de la cerveza produjese los sabores normalmente creados por los lúpulos.[19] La tecnología consiguió resultados tan buenos que los empleados de una cervecería artesanal local creyeron realmente que el producto genéticamente modificado tenía un sabor mejor que el de la cerveza tradicional inglesa.

Aumentar la producción de las cosechas, idealmente sin tener que utilizar productos adicionales caros, es uno de los objetivos fundamentales de las compañías agrícolas y de los agricultores, tanto comerciales como de subsistencia. El arroz es un alimento básico para más de la mitad de la población mundial y es especialmente importante en los países de renta media y baja.[20] Mantener y mejorar la producción de arroz es vital para la seguridad alimentaria.

La edición genética ha sido utilizada por la Academia China de Ciencias de Shangai en colaboración con la Universidad de Purdue, Indiana, precisamente con este objetivo. Hay un conjunto de trece genes en el arroz que ayuda a la planta a tolerar formas de estrés medioambiental como sequías y excesos de salinidad. Utilizando técnicas tradicionales de fertilización cruzada, los agrónomos del pasado han podido crear plantas de arroz que son menos susceptibles de sufrir estas formas de estrés. Desgraciadamente, estas plantas híbridas han reducido el rendimiento de las cosechas, porque esos mismos genes están implicados en la inhibición del crecimiento. Los científicos del equipo conjunto sino-norteamericano especularon que si conseguían introducir la combinación correcta de mutaciones en dichos genes, podrían producir un arroz resistente que se cosechase realmente bien. Este es un objetivo que sería casi imposible utilizando las técnicas de cruce a la vieja usanza; se tardaría mucho tiempo y sería preciso realizar muchas generaciones de cruces para tener una mínima esperanza de conseguir la combinación exacta de variantes genéticas buscada. Pero con las nuevas técnicas de edición genética, los investigadores consiguieron el resultado buscado en solo un par de años. Crearon una variedad que era tan buena tolerando el estrés como cualquier otro tipo de arroz, pero que generaba un incremento de la producción de entre un 25 y un 31% en ensayos de campo. Este es un salto enorme en la productividad de una cosecha de vital importancia.[21]

Crear nuevas variedades de cosechas de alimentos importantes capaces de tolerar condiciones medioambientales adversas puede ser vital para la agricultura. Irónicamente, esto es debido a que la población humana no para de crecer, y tensiona cada vez más la producción. Los niveles de sal en los terrenos agrícolas son cada vez mayores, y esto reduce el crecimiento de las plantas y la producción de alimento. Los geógrafos han calculado que un 20% del total de terrenos agrícolas, y el 33% de las tierras agricolas de regadío en todo el mundo se ven afectados por una elevada salinidad, y que esta cifra crece aproximadamente un 10% cada año.[22]

Los terrenos agrícolas también se están volviendo más áridos. La ONU ha calculado que los medios de subsistencia de mil millones de personas están amenazados por la desertización, y estas personas se encuentran ya de entrada entre las poblaciones más pobres del planeta.[23] La competencia por el agua actúa ya como un factor en situaciones de conflicto nacionales e internacionales.[24]

La desertización es uno de los motivos de que las técnicas de edición de genes estén rápidamente buscando usos en la creación de variedades de cultivos más resistentes a estos tipos de estrés. Es muy alentador que la historia del arroz haya puesto de manifiesto que este enfoque es factible, que los científicos pueden incrementar la resistencia a las formas de estrés medioambiental sin efectos negativos –y en algunos casos muy positivos– en la productividad. Una técnica similar se ha empleado para crear maíz capaz de tolerar la sequía incrementando al mismo tiempo un 4% la productividad.[25]

Toda la tecnología está avanzando en la dirección correcta, creando cosechas robustas, más capaces de hacer frente a las diversas formas de estrés medioambiental y de producir cosechas más rentables sin un aumento de insumos caros. Resulta tentador suponer que estamos en camino de conseguir unos resultados excelentes, pero hay al menos dos factores que pueden atenuar este optimismo, y ninguno de ellos tiene que ver con la ciencia. No tiene que ver con la forma en que se desarrolla la tecnología; tiene que ver con la forma en que usan la tecnología las personas y sus gobiernos.

Si las nuevas variedades de cosechas genéticamente modificadas permiten a los agricultores utilizar las tierras agrícolass existentes de una forma más eficiente, este será efectivamente un gran logro. Pero siempre hemos de estar atentos a posibles consecuencias no deseadas. ¿Y si las nuevas variedades se utilizan para convertir en cultivables terrenos que ahora no lo son, convirtiendo zonas previamente marginales o agriculturalmente inútiles en campos cultivados? Esto causaría inevitablemente una pérdida mayor de biodiversidad, dado que estas tierras marginales son a menudo el lugar en el que determinadas especies pueden aferrarse a algunos hábitats. Si se implementan las nuevas tecnologías sin hacer frente a los problemas fundamentales del derroche de alimentos y el exceso de consumo, estaremos en el mejor de los casos demorando un escenario catastrofista, y en el peor acercándonos más deprisa al desastre. Solo la ciencia puede resolver el problema.

Llegar al mercado

El otro aspecto relativo a la creación de cultivos genéticamente modificados es igualmente problemático. ¿Podrán los agricultores plantarlos y cosecharlos? ¿Se les permitirá venderlos a los consumidores? No hay un consenso global sobre este tema y la larga historia de oposición a los cultivos GM [genéticamente modificados] sugiere que el camino hacia su adopción puede ser muy pedregoso.

El problema depende en parte del lugar donde se vive. El año 2014, más de 70 millones de hectáreas de tierra en Estados Unidos se utilizaron para cultivos GM. En Europa, la superficie cultivada equivalente fue de 100.000 hectáreas.[26] La explicación debe buscarse en buena medida en las diferentes regulaciones existentes en dichos territorios, y estas a su vez se han visto fuertemente influidas por grupos de presión y campañas entre los consumidores. Esto ha condicionado la adopción de estas medidas en otras regiones del mundo.

Los investigadores se han sentido intensamente frustrados por la oposición a los cultivos GM, sobre todo en el caso del arroz dorado, una variedad de arroz (*Oryza sativa*) producida por ingeniería genética. Como ya hemos visto, el arroz es un alimento básico para millones de personas en todo el mundo. No es una fuente perfecta de nutrientes, sin embargo, y una de las cosas que no puede proporcionar es vitamina A. La vitamina A es vital para la salud del sistema inmunológico y para el desarrollo del sistema visual. Según estimaciones de la Organización Mundial de la Salud: "Entre 250.000 y 500.000 niños con un déficit de vitamina A se quedan ciegos cada año, y la mitad de ellos muere doce meses después de perder la vista."[27] Estas muertes hay que sumarlas a las provocadas por enfermedades infecciosas (entre 1 y 2 millones de muertes) que podrían evitarse si todos los niños en edad preescolar recibiesen las cantidades adecuadas de vitamina A.[28]

El arroz dorado fue creado mediante ingeniería genética para que en sus granos se expresasen unos genes extra que llevan a la producción de betacaroteno. El betacaroteno es un pigmento que el cuerpo humano convierte fácilmente en vitamina A. El artículo original en el que se describía la producción del arroz dorado se publicó el año 2000.[29] Nuevas investigaciones posteriores han mejorado la variedad 'golden rice' todavía más, incrementando la cantidad de betacaroteno que produce. Ensayos realizados con voluntarios han demostrado que los humanos convierten efectivamente el betacaroteno contenido en esta variedad de arroz en vitamina A, y que lo hace a niveles lo suficientemente altos como para prevenir la ceguera y las infecciones.

Y sin embargo, es posible que el arroz dorado llegue finalmente a los consumidores de Bangla Desh y Filipinas en los próximos años, pero no está garantizado. Hace ya dos décadas que se cultivó por vez primera en condiciones de laboratorio. Naturalmente, era obligatorio respetar un período de prueba; nadie pensaba que la nueva variedad de arroz pudiese llegar de la noche a la mañana a los grupos de población de los países más pobres para los que estaba pensado. Pero ¿dos décadas?

Este no es un caso en el que unas multinacionales codiciosas impiden a las personas más pobres del mundo el acceso a un producto que necesitan desesperadamente. Todas las empresas implicadas en la producción del arroz dorado acordaron rápidamente ponerlo a disposición al mismo precio que el arroz normal para los agricultores de subsistencia y los pequeños agricultores, y sin restricciones para que pudieran cosecharlo y reservar granos para replantarlos.

La oposición más dura ha sido la de los grupos de presión occidentales como Greenpeace. El año 2016, más de cien premios Nobel –un tercio aproximadamente de todos los que seguían vivos– escribieron una carta abierta a Greenpeace criticando su postura sobre los organismos genéticamente modificados y sobre el 'golden rice' en particular.[30] La respuesta de Greenpeace se basó esencialmente en el argumento de que aceptar la implementación del 'golden rice' equivaldría a dejar de oponerse a todos los cultivos GM.

Hay una cierta lógica filosófica en esta postura; si uno se opone por principio a los organismos GM, tiene que oponerse a todos ellos. Pero sería interesante saber si estos opositores se han sentado alguna vez a explicar estos principios a un desconsolado padre o a un niño que, de manera evitable e irreversible, haya perdido la visión.

Cuando la ciencia y las regulaciones coinciden

La frase 'edición genética' se utiliza para referirse a la tecnología que se ha desarrollado desde el año 2012, que permite a los científicos modificar genomas con una precisión y una facilidad excepcionales. Es esencialmente un subtipo de modificación genética, ya que usa técnicas moleculares para alterar el genoma de los organismos. De todos modos, además de su simplicidad de uso, la edición genética tiene una serie de diferencias y de ventajas respecto a tecnologías anteriores. Puede utilizarse para crear modificaciones más pequeñas en el genoma, y deja menos elementos genéticos extraños. En su forma técnicamente más exquisita, la edición genética no deja ningún rastro molecular en absoluto. Puede cambiar simplemente, de una forma precisamente controlada, una letra del alfabeto genético. En esta manifestación de la edición genética es imposible distinguir entre un organismo que haya sido editado por los científicos en el laboratorio y una variante que se dé normalmente con el mismo cambio en la misma letra.

Las objeciones a las formas más tempranas de GM se basaban a menudo en los cambios importantes que se habían introducido en el genoma. Esto provocó el temor de que genes 'foráneos' –a menudo insertados para garantizar la expresión de alto nivel de la característica deseada– se propagasen por las poblaciones silvestres y alterasen los ecosistemas vegetales o creasen nuevas variantes con funciones anormales. También existía la preocupación de que los alimentos GM fuesen perjudiciales para la salud humana, normalmente por medio de mecanismos no especificados.

Ninguna de estas calamitosas predicciones ha llegado a suceder, aunque esto no significa que sea absurdo preocuparse. Las tecnologías innovadoras pueden tener consecuencias imprevistas e inesperadas, y es completamente apropiado que haya períodos de seguimiento y de implementación gradual.

En la vida no hay absolutamente nada libre de riesgos. El problema es que todos somos muy malos evaluando situaciones de riesgo. Un choque de trenes con muchas víctimas incita a la gente a evitar el tren para desplazarse y a optar por la motocicleta, un medio de transporte extraordinariamente menos seguro. Los nuevos riesgos pequeños nos asustan más que los riesgos antiguos más importantes, porque hemos integrado los antiguos niveles de riesgo en nuestras vidas y ya no pensamos en ellos.

Es poco razonable esperar que cualquier tecnología nueva esté absolutamente libre de riesgos. Lo que deberíamos esperar es que al menos no tenga más riesgos que la tecnología existente. Hay pocos datos convincentes, si es que hay alguno, de que las plantas GM "anticuadas" planteen un nivel de riesgo que exceda el de los métodos tradicionales de fitomejoramiento. Teniendo en cuenta el mayor grado de precisión de la edición genética y la menor perturbación del genoma que comporta en comparación con las generaciones anteriores de GM, resulta interesante ver cómo tratan los reguladores a las plantas genéticamente editadas.

Entre los años 2016 y 2018, el Departamento de Agricultura de EEUU informó a los creadores de más de una docena de cultivos genéticamente manipulados que no era necesario regularlos. El 28 de marzo de 2018, el Secretario de Agricultura, Sonny Perdue, autorizó un comunicado de prensa[31] confirmando que esta sería a partir de entonces la estrategia normal, en vez de algo que precisase confirmación en cada nuevo caso. Es un precedente importante, por cuanto significa que tales plantas pueden ser diseñadas, cultivadas y comercializadas sin regulación, acelerando su consumo y su posición en el mercado.

El razonamiento era bastante simple. Si la edición genética tenía como resultado un cambio genético que se da o que podría darse en la naturaleza, no hay necesdidad ninguna de regularla. El cambio podría ser alterar una letra del código, añadir o borrar unas cuantas letras, o incluso añadir secuencias de parientes cercanos. Todos estos cambios podrían darse mediante el mejoramiento normal del cultivo de plantas. Por consiguiente, los reguladores adoptaron la postura de considerar irracional aceptar un cambio procedente de técnicas hortofrutícolas tradicionales y rechazar el mismo cambio, genéticamente indistinguible, si había sido producido mediante edición genética.

Pero esto no es un cheque en blanco para todas las variedades genéticamente editadas. No se aplica, por ejemplo, a las malas hierbas o al material genético procedente de plantas de plagas, lo cual es perfectamente razonable.

Una de las preocupaciones de muchos activistas contrarios a los productos GM en el pasado era que las carísimas tecnologías necesarias para producir cultivos GM pondrían un poder excesivo en manos de empresas multinacionales. La crítica también iba dirigida al hecho de que dichas empresas tendían a centrar sus esfuerzos en los cultivos comerciales más caros, y no en aquellos que pueden alimentar a los más pobres. La mandioca, por ejemplo, es un alimento básico para unos 700 millones de personas, pero las inversiones dedicadas a la mejora de su cultivo eran tan solo una fracción de las destinadas a mejorar el trigo. Esta última resolución del Departamento de Agricultura norteamericano puede efectivamernte incentivar los esfuerzos de mejorar mediante la edición genética algunos de los cultivos hasta ahora relegados

El motivo de ello es que los escollos que hacían que los cultivos GM originales fuesen caros y difíciles de desarrollar eran los largos y costosos ensayos que era preciso llevar a cabo, así como lo caras que eran las aplicaciones reguladoras. Las sentencias más recientes eliminan buena parte de estos gastos, lo que unido a la relativa facilidad de la edición genética, puede democratizar la producción de mejores cultivos, llevando a estos huérfanos al laboratorio y posteriormente a los campos.

La declaración del Departamento de Agricultura norteamericano dejaba muy claro que promover la innovación era un efecto indirecto importante de su sentencia. Esto en sí mismo estimulará más investigaciones por parte de los científicos deseosos de mejorar los cultivos. Nadie quiere trabajar duro para crear una variedad mejor solo para encontrarse con que esta no puede cultivarse o consumirse a causa de las restricciones reguladoras.

Todos los indicios apuntaban a que la Unión Europea tomaría una decisión similar a la de Estados Unidos. Esto representaría una clara ruptura con el pasado, dado que algunos estados miembros como el Reino Unido habían impuesto unas restricciones draconianas sobre los cultivos GM, en gran parte como consecuencia de las intensas presiones y campañas de diversos grupos de interés. En enero de 2018, el Tribunal de Justicia de la Unión Europea comunicaba que probablemente tomaría la decisión de que los cultivos creados por edición genética no estarían cubiertos por las regulaciones adoptadas el año 2001 respecto a las plantas GM.[32]

Pero en julio de 2018 toda la comunidad de investigadores de plantas de Europa quedó consternada cuando se tomó la decisión definitiva. Las plantas creadas por edición genética quedaban englobadas en las regulaciones del año 2001.

En el marco de estas regulaciones europeas hay una contradicción extraordinaria. Es perfectamente legal que los criadores irradien a las plantas o que utilicen productos químicos para crear mutaciones aleatorias. Si el efecto de estas mutaciones es la aparición de una característica útil, los criadores pueden propagar, producir y vender la planta. Supongamos que una de estas mutaciones da como resultado una variedad de tomate con un sabor más dulce que el habitual. La irradiación o los productos químicos casi con toda seguridad causarían otras mutaciones en la planta, unas mutaciones imprevistas y sin efectos observables. En Europa es perfectamente legal cultivar y comercializar la planta de tomate y los frutos resultantes.

Si, en cambio, utilizamos las técnicas de la edición genética para crear una mutación que lleve a un tomate más dulce, no es posible propagar, cultivar ni comercializar la planta y sus frutos en Europa. No hay absolutamente ninguna diferencia a nivel del ADN entre la mutación creada por irradiación y la mutación creada mediante edición genética, si nos fijamos en el gen relevante asociado con la dulzura. Las plantas derivadas de la irradiación tendrán probablemente en otros lugares del genoma más mutaciones que las plantas editadas, y no habrá manera de controlar dónde estarán y qué efectos tendrán.

El grupo de presión Friends of the Earth [Amigos de la Tierra] dio la bienvenida a esta decisión, pero ha permanecido extrañamente silencioso respecto al respaldo implícito que ello supone para la tecnología de la irradiación. Por consiguiente, Europa se encuentra ahora en una situación paradójica en la que una tecnología (la irradiación) cuyo resultado es imposible controlar se considera preferible a una tecnología (la edición genética) de una precisión exquisita. Al parecer la ley es tan inútil para comprender el riesgo como la mayoría de humanos.

4
Editando el mundo animal

Muchos de los problemas a los que se enfrentan los agricultores –cómo mantener sus cosechas libres de enfermedades y cómo producir cosechas abundantes sin tener que hacer costosas inversiones– tienen paralelismos exactos en la industria ganadera. No tiene, pues, nada de sorprendente que las técnicas de la edición genética se estén desarrollando para abordar algunos de estos problemas. En todas estas aplicaciones, la tecnología se utiliza para crear animales en los que cada célula de su cuerpo tiene el ADN editado, ADN que pasarán luego a sus descendientes. La creación de individuos genéticamente modificados es complicada, dado que se basa en complejos enfoques de la biología del desarrollo como la implantación de embriones en hembras receptivas. Pero en la medida en que sus descendientes estén sanos, dichos individuos criarán y pasarán su ADN editado y nuevas características a sus crías, como cualquier otro animal.

En esencia, la edición genética es sencilla, pero el resto del proceso requiere el mismo tipo de técnicas que se utilizaron la primera vez que se clonó un mamífero. Estas son técnicas muy especializadas, por lo que si bien muchos laboratorios pueden editar los genomas de especies agrícolas en un tubo de ensayo, solo una proporción mucho menor puede generar animales vivos con estos experimentos de laboratorio. El Instituto Roslin de Edimburgo es uno de los relativamente pocos que pueden hacerlo, dado que dispone del personal especializado y de los medios requeridos tanto para la edición genética como para la clonación de animales. Esto no es nada sorprendente. El primer mamífero clonado, la oveja Dolly, se creó en el Instituto Roslin en 1996. Se clonó a partir de una célula de mamífero y se le puso el nombre de Dolly a modo de homenaje a la cantante de música country Dolly Parton. Desde entonces, la tecnología y la cultura han avanzado mucho. El Instituto Roslin lo dirige actualmente Eleanor Riley y es de esperar que futuros avances tengan como resultado estrategias para poner nombres algo menos juveniles.

Existe un virus que afecta a los cerdos y que se conoce como PRRSV por las siglas en inglés de 'virus del síndrome respiratorio y reproductivo porcino' (Porcine Reproductive and Respiratory Syndrome Virus). Este virus ha estado causando problemas a la industria porcina desde los años ochenta del siglo XX, y tan solo en Estados Unidos causa pérdidas de más de 500 millones de dólares al año. Si una cerda embarazada se infecta, todos sus cochinillos pueden nacer muertos, y los que, pese a estar infectados, sobreviven al parto, sufren diarreas severas e infecciones respiratorias que pueden llegar a ser letales. Si una cerda pasa el virus a sus cochinillos a través de su leche, cuatro de cada cinco acabará muriendo. Los animales que se infectan una vez destetados crecen mal y no engordan fácilmente.

Para poder causar todos estos estragos, el virus tiene que encontrar la forma de introducirse en las células del cerdo, especialmente dentro de ciertas células especilizadas de los pulmones. Para ello, secuestra una proteína que está presente en la superficie de estas células fijándose a una región muy concreta de la misma. Los científicos del Instituto Roslin razonaron que podían utilizar la técnica de la edición genética para cambiar la región a la que se fija el virus. Si el virus no puede fijarse a la superficie de la célula, no puede entrar en ella y por consiguiente muere.

Podemos imaginarnos la región en la que se fija el virus como si fuese una perla defectuosa en un collar en el que todas las demás perlas son perfectas. Un buen orfebre puede retirar la perla dañada y unir de nuevo las perlas en buen estado a ambos lados de la misma de modo que el propietario del collar vuelva a tener una apariencia impecable. Los científicos realizaron la manipulación genética equivalente para retirar la parte de la superficie de la célula donde se fijaba el virus, dejando intacto todo lo demás, y 'recosieron' la parte 'dañada'.

Después de la manipulación, los cochinillos resultantes estaban sanos, y la proteína desempeñaba sus funciones normalmente. Pero ahora el PRRSV ya no podía fijarse a su superficie, de modo que los cochinillos no podían quedar infectados por el virus ni, en consecuencia, pasar la infección a la siguiente generación.[1]

El Instituto Roslin trabaja en colaboración con una empresa de crianza llamada Genus PIC para crear un linaje de cerdos que pueda utilizarse como animales de cría. Estos animales podrán transmitir la resistencia a sus descendientes, que también podrán pasarla a su vez a los suyos. De este modo es imaginable pensar en la exterminación del PRRSV.[2]

Los cerdos no son los únicos animales en los que se está desarrollando la edición genética con objeto de prevenir la aparición de enfermedades infecciosas. Los científicos de la Universidad A&F de Shaanxi, en China, han dado los primeros pasos hacia la creación de reses resistentes a la tuberculosis bovina.[3] Es este un campo en el que es de esperar que haya muchas novedades en los próximos años.

Potenciando al máximo la musculatura

Para los criadores de ganado es una buena noticia que sus animales puedan evitar infecciones. Pero también necesitan que tengan otras características. La demanda de carne para el consumo no para de crecer, particularmente la de carne magra. Los productores de carne quieren animales que puedan engordar rápidamente y que conviertan de manera eficiente la comida en proteína magra, para poderlos llevar más pronto al mercado. Una vez más, la edición genética ha dado un paso adelante y ha asumido el reto.

Cada año, aproximadamente mil millones de cerdos son sacrificados para satisfacer nuestro aparentemente insaciable apetito de sachichas y tocino. Más o menos la mitad de ellos los consumen en China, por lo que quizás no tenga nada de sorprendente saber que uno de los principales centros de investigación de aquel país ha centrado sus esfuerzos de edición genética en esta especie animal. De este modo, han resuelto simultáneamente dos de los problemas de los criadores de cerdos.

Hace unos 20 millones de años, los antepasados de los cerdos modernos se revolcaban felices en los climas tropicales y subtropicales del mundo prehistórico. Cuando uno vive en este tipo de clima no necesita realmente un sistema para calentarse rápidamente, porque tiene más probabilidades de sufrir a causa del recalentamiento. Tal vez a consecuencia de ello, este antepasado porcino perdió un gen que se encuentra, en cambio, en la mayoría de mamíferos. Este gen se llama UCP1 y codifica una proteína que puede quemar muy rápidamente la grasa para generar calor. Esta proteína se expresa normalmente en un tejido llamado tejido adiposo marrón. Los cerdos no tienen un gen UCP1 funcional; en realidad ni siquiera tienen grasa marrón.

Pero hoy en día la mayor parte de cerdos no andan revolcándose por las zonas tropicales y subtropicales del mundo. Hoy viven en regiones más templadas y probablemente son algo más sensibles al frío. Cuando viven en un lugar particularmente fresco, la letalidad neonatal puede llegar hasta el 20% en respuesta al estrés provocado por el frío. Los ganaderos porcinos tienen que invertir mucho dinero en mantener calientes a los cerdos, y en algunas regiones esto puede llegar a representar hasta el 35% del total de energía necesaria para criar en condiciones óptimas a estos animales.

Aunque la edición genética puede utilizarse para hacer cambios exquisitamente delicados en el genoma, también puede utilizarse para insertar genes enteros en una célula. La edición genética tiene ventajas respecto a los métodos GM tradicionales, incluso en el caso de un cambio tan importante como este. Podemos controlar exactamente en qué parte del genoma colocamos el gen, y podemos crear animales que contengan solo el gen extra y nada más, ninguna molesta secuencia adicional. Debido a estas ventajas, los investigadores pequineses decidieron utilizar la técnica de la edición genética para volver a poner un gen UCP1 en el genoma de los cerdos. No fue un trabajo trivial. Crearon más de 2.500 embriones en el laboratorio y los implantaron en otras tantas cerdas. Al final nacieron doce cerditos con un gen UCP1 funcional. Una vez más, la creación de los embriones editados fue esencialmente la parte fácil del trabajo. La producción de animales vivos todavía es muy difícil, y el índice de éxitos es tan bajo como cuando se creó a la oveja Dolly en 1996.

Los científicos criaron a los machos editados una vez que hubieron madurado y, como era previsible, pasaron a sus descendientes el UCP1 que les habían insertado. Los cerdos editados pudieron mantener su temperatura corporal en climas fríos mucho mejor que los no editados. Se produjo además una reducción de un 5% en la cantidad de grasa corporal, lo que puede considerarse como un impacto positivo adicional.[4]

Los cerdos no son los únicos animales de los que criadores y consumidores quieren que tengan una mayor proporcion de carne magra. Sin embargo, la mayoría de animales de granja ya tienen un gen UCP1 funcional, por lo que no es posible utilizar el mismo enfoque para incrementar su masa muscular grasa. El enfoque alternativo que está actualmente en desarrollo para un determinado número de especies ganaderas consiste en manipular la expresión de un gen que actúa como freno sobre el desarrollo muscular.

En los mamíferos está operativo un sistema común de controles y contrapesos para regular el tamaño de los músculos esqueléticos. Un grupo de señales incentiva el crecimiento muscular y otro grupo lo contiene. Si podemos encontrar la forma de inclinar la balanza a favor de las señales que estimulan el crecimiento muscular, podemos obtener animales más fornidos y musculosos, y con menos grasa. La edición genética está desarrollando una técnica para conseguir precisamente esto, inclinar la balanza reduciendo los frenos sobre el crecimiento muscular más que tratando de incrementar directamente las señales que lo fomentan.

Un gen clave en este proceso es el gen de la miostatina. La proteína miostatina contiene el crecimiento muscular, y hace muchos años unos estudios experimentales con animales genéticamente modificados mostraron que reducir la actividad de esta proteína crea animales extraordinariamente bien musculados. Los animales tienen tanto músculo y tan poca grasa que tienen un aspecto algo estrafalario que hace pensar en el Arnold Schwarzenegger que fue Mister Universo a finales de la década de 1960.

Una vez más, la edición genética es un enfoque mucho más apropiado que los métodos originales de la manipulación genética para producir individuos con cambios muy concretos en el gen de la miostatina pero sin otras alteraciones. La tecnología ya ha sido aplicada a cerdos, cabras, ovejas y conejos,[5] y parece funcionar particularmente bien en estas tres últimas especies. Un dato importante es que el aumento del crecimiento muscular se produce después del nacimiento.[6, 7] Esto es significativo porque un exceso de crecimiento en el período prenatal podría causar dificultades en el momento del parto.

Uno de los equipos de investigación ha especulado que este podría ser un enfoque adecuado para emplearlo en las ovejas merinas. La lana merina es larga y suave y los aficionados a la vida al aire libre pagan ridículas cantidades de dinero por calcetines y camisetas hechas con esta lana. Pero las ovejas no son muy útiles para la producción de carne, porque producen músculo muy lentamente y en cantidades demasiado pequeñas para tener un valor comercial. Sería perfectamente factible editar genéticamente su gen de la miostatina para producir ovejas merina que, sin dejar de producir una lana estupenda, también produjesen una buena cantidad de carne cuando fuesen finalmente sacrificadas.

Otro grupo de investigadores ha utilizado este enfoque dual para convertir cabras normales en cabras con exactamente estas dos características combinadas. Editaron tanto el gen de la miostatina como un gen que inhibe el crecimiento del pelo. Nacieron diez cabritos con estos dos genes editados y se produjeron los cambios previstos en la expresión de los mismos. De momento no se han publicado fotografías del aspecto de estos animales, pero si todo se desarrolla correctamente a medida que maduran, es muy posible que pronto podamos ver a unas cabras musculosas y de pelaje superesponjoso que parecerán porteros de discoteca disfrazados de personas de Barrio Sésamo.[8]

Carne no comestible

Ya está muy claro que será factible utilizar la edición genética para producir ganado con características mejoradas como un engorde más rápido, una carne más magra y una mayor resistencia a las enfermedades. Lo que no está tan claro es cuándo –si es que lo hacen alguna vez– estas características llegarán al consumidor, o incluso si la carne así producida llegará a consumirse.

En Europa, los indicios no son muy esperanzadores, teniendo en cuenta la historia en general deprimente de la manipulación genética, así como la normativa más reciente sobre las plantas editadas. En Estados Unidos, los indicios son a la vez confusos y desconcertantes, y ello se debe en parte a una guerra de posiciones entre dos poderosos organismos. El Departamento de Agricultura norteamericano quiere aplicar a los animales la misma lógica que ha aplicado a las plantas. Si los cambios introducidos por la edición genética son cambios que podrían haberse producido mediante los métodos ganaderos tradicionales, no es preciso implantar normas específicas para regularlos. Pero de momento, la Food and Drug Administration, el departamento de salud, está adoptando un punto de vista diferente. Considera que ha de exigirse una autorización previa antes de que la carne u otros productos procedentes de animales genéticamente editados puedan entrar en la cadena de consumo humana.

Es realmente importante recordar que los animales experimentales, aquellos en los que se realiza la edición genética, no entrarán nunca en la cadena de consumo humana. Estos animales son la cepa fundadora de los rebaños puros, y son demasiado valiosos para convertirlos en carne. Lo que esto significa esencialmente es que el departamento de salud norteamericano quiere ejercer el control sobre aquellos animales que simplemente hayan heredado los cambios genéticos a través de una crianza perfectamente natural.[9]

Si pensamos en las musculosas ovejas y vacas producidas mediante la modificación del gen de la miostatina, se pone de manifiesto la profunda incoherencia de los sistemas de regulación existentes. Con las normas actuales, los productores no podrán vender la carne de este ganado si el animal que ha originado el linaje ha sido creado con las técnicas de la edición genética.

Pero hay ya montones de ovejas y vacas en la cadena de alimentación humana que son muy musculosos debido a cambios en el gen de la miostatina. Las razas de ganado Piamontesa y Azul Belga surgieron de forma natural mediante la mutación aleatoria de dicho gen. Y lo mismo vale para las ovejas Texel. Son estas mutaciones 'naturales' las que son normalmente reintroducidas mediante la edición genética.

Dos chuletas de cordero, las dos con las mismas características. Ambas tienen el cambio en el gen de la miostatina que llevó a la creación de estos robustos animales. Si se tiene acceso a una máquina secuenciadora del ADN es posible analizar el gen de la miostatina de una y otra, pero no será posible en ningún caso determinar qué chuleta proviene de una línea 'natural' de ovejas Texel y cuál procede de una línea editada. Son idénticas. Y sin embargo, el departamento de salud norteamericano pretende regular una y no la otra, no debido a su secuencia de ADN, sino a causa de la *intención* que cree percibir detrás de dicha secuencia. Para cualquier científico esto se aproxima terriblemente a una extraña forma de pensamiento mágico.

Esto ha creado también un entretenido (en el mejor de los casos) dilema entre los que se oponen a la edición genética, que quieren tener la trazabilidad completa de los animales para poder remontarse a varias generaciones. Si la edición genética resulta en algo totalmente indistinguible de una variante producida de forma natural, es imposible monitorizar la cadena alimenticia para saber cómo se produjo inicialmente el cambio. La secuencia de ADN será la misma, tanto si el ancestro ha sido una variante creada de forma natural como el Azul Belga, como si ha sido una res genéticamente editada. Ante esto, los que se oponen a la edición genética han propuesto una curiosa solución. Su sugerencia es que cuando se lleve a cabo la edición genética en el ganado, los científicos estén obligados a incluir un cambio adicional en el ADN que pueda detectarse mediante pruebas de laboratorio. Esta secuencia adicional pasaría a los descendientes del animal modificado y actuaría como una especie de etiqueta. Esto significa que los contrarios a la edición genética pretenden que se añada ADN 'foráneo' al genoma, cuando los científicos que trabajan en este ámbito están tratando de minimizar precisamente esto, en parte para mitigar la inquietud de quienes se oponen por principio a la introducción de ADN foráneo.

El poder curativo de los animales

Los humanos llevan miles de años utilizado a los animales. Las opiniones difieren mucho respecto de hasta qué punto esto es aceptable, pero nadie discute la verdad de esta afirmación. Normalmente los hemos utilizado como alimento, centrándonos espacialmente en su carne, su leche y su sangre, pero también interactuamos con ellos de otras muchas maneras. Son nuestros compañeros, nuestros guardianes, nuestros aliados en la caza, nuestro entretenimiento.

También los hemos utilizado durante miles de años como fuentes de productos medicinales. Antiguos manuscritos egipcios de hace casi cuatro mil años detallan el uso de productos de origen animal en aplicaciones médicas.[10] Hoy extraemos veneno de las serpientes e inyectamos pequeñas cantidades del mismo en otros animales domesticados para crear anticuerpos que podamos utilizar luego para tratar mordeduras de serpiente potencialmente letales. Especies enteras están siendo arrastradas a la extinción para satisfacer la demanda de determinadas medicinas chinas tradicionales. Pero con la llegada de la edición genética, podemos utilizar animales de maneras más sofisticadas que nunca para crear drogas terapéuticas para tratar enfermedades humanas.

Los fármacos con los que la mayoría de nosotros estamos familiarizados son moléculas pequeñas. Son cosas como la aspirina, el paracetamol, los antihistamínicos que se usan como remedio contra la fiebre del heno, las estatinas que reducen el colesterol, y el ingrediente activo en la Viagra. Este tipo de drogas son bastante fáciles de sintetizar utilizando reacciones químicas.

Cada vez más, sin embargo, las drogas modernas son del tipo denominado productos biológicos. Se trata de moléculas grandes que pueden encontrarse en los organismos vivos. Los anticuerpos para tratar mordeduras de serpiente son un ejemplo, igual que la insulina, un producto vital para las personas con diabetes del tipo 1. Los mejores tratamientos para la artritis reumatoide y para determinados tipos de cáncer de pecho son drogas biológicas. Un reciente análisis de mercado concluía que antes del año 2024 el mercado global de drogas biológicas podía ascender a 400.000 millones de dólares anuales.[11]

Dichas drogas son habitualmente muy caras y parte de ello es debido a que producirlas cuesta mucho dinero. No es posible hacerlas en un tubo de ensayo mediante síntesis química, como la aspirina, ya que simplemente son demasiado grandes y complejas. Tienen que producirlas unas células vivas, ya que solamente los sistemas vivos pueden llevar a cabo el complejo conjunto de sofisticadas reacciones químicas que son precisas para ello.

Imaginemos que la molécula que queremos utilizar como droga la fabrica normalmente el cuerpo humano. En estas circunstancias, la manera obvia de proceder sería aislar la molécula en humanos. El ejemplo más común de ello es una transfusión de sangre. Pero si podemos compartir la sangre unos con otros es porque podemos crear más sangre de manera bastante rápida, de modo que el donante no se vea comprometido. Pero muchas de las moléculas que necesitamos los humanos solamente las producen en pequeñas cantidades determinados órganos. En estas circunstancias, es posible que la única forma en que podamos extraer en cantidades suficientes la droga que necesitamos es extrayéndola de tejidos post-mortem.

Algunos niños no consiguen ganar peso porque no producen una molécula esencial llamada hormona del crecimiento. Hubo un tiempo en que la única forma de obtener hormona del crecimiento para tratar a estos niños era extrayéndola de cadáveres. Concretamente, se extraía de la glándula pituitaria, una diminuta estructura del cerebro, y luego se inyectaba en los niños. Lo que nadie advirtió en aquel momento fue que en algunas ocasiones los donantes muertos habían desarrollado una rara forma de demencia. Esta demencia, la enfermedad de Creutzfeldt-Jacob, la causan unas proteínas anormales que se desarrollan en las células cerebrales. Cuando se extraía hormona del crecimiento del cerebro de personas con este tipo de demencia, nadie se dio cuenta de que la peligrosa proteína anormal se colaba accidentalmente en el preparado. Trágicamente, al ser inyectada en pacientes que necesitaban la hormona, la proteína anormal desencadenaba la aparición de una degeneración cerebral, con demencia y finalmente la muerte. Se calcula que unas 200 personas murieron en el Reino Unido a causa de esta vía de transmisión.[12]

Debido a ello, desde mediados de la década de 1980, toda la hormona del crecimiento humana se ha producido en bacterias genéticamente modificadas. Esta forma de obtener la molécula es más segura, más barata y más fácil de graduar que extraerla de cadáveres humanos.

A veces los animales producen, de manera fortuita, una proteína tan similar a la correspondiente proteína humana que puede utilizarse como medicina. Durante casi 60 años los diabéticos de tipo 1 fueron tratados con insulina extraída de páncreas de cerdo. Esto no era lo ideal dado que la insulina es un componente relativamente menor entre todas las proteínas del páncreas de los cerdos, por lo que se requería un trabajo de purificación caro y complicado para producir una cantidad relativamente pequeña de insulina. La insulina de cerdo, además, no es totalmente idéntica a la versión humana normal, y no era adecuada en el caso de algunos pacientes. También era muy difícil acelerar rápidamente la producción de la droga cuando la demanda lo requería. En los años ochenta, la compañía farmacéutica Eli Lilly empezó a producir y a vender insulina que había sido creada en bacterias genéticamente modificadas. Actualmente, prácticamente toda la insulina la producen las bacterias o la levadura.

La inmensa mayoría de drogas biológicas se producen en bacterias, en levaduras o en cultivos de células humanas o de otros animales. Estos sistemas tienen sus ventajas, pero también tienen inconvenientes. Las células bacterianas son menos sofisticadas que las humanas, y no siempre pueden producir una proteína compleja que tenga las mismas características y funciones que se requieren para que las terapias en que se utiliza sean efectivas. Cuando se cultivan células de mamífero, puede ser difícil conseguir la proteína relevante en una concentración suficiente, y ello incrementa de manera sustancial los costes de producción. En consecuencia, hay programas para la producción de drogas en los que diversas empresas buscan un enfoque diferente, y aquí es donde la edición genética tiene mucho que aportar.

Ha habido algunos precedentes en los que se han utilizado las viejas tecnologías de modificación genética. Los investigadores añadían un gen a un conejo para que este produjera un producto biológico complejo que necesitan las personas que padecen una enfermedad genética llamada angioedema hereditario. En los pacientes que tienen este problema, los vasos sanguíneos pequeños se vuelven permeables y el fluido se acumula en los tejidos. Esto no solo resulta terriblemente doloroso, sino que puede ser letal si afecta a las vías respiratorias.[13] Inyectar la droga producida en los conejos genéticamente modificados permite controlar estos terribles episodios.[14]

Supongamos que usted es un científico que quiere producir drogas biológicas de calidad. Probablemente querrá utilizar sistemas que posean determinadas características fundamentales. Las más obvias serían las siguientes:

1. Animales en los que sea fácil introducir el cambio genético necesario, y sin perturbar de ningún otro modo su genoma.
2. Un sistema de producción accesible.
3. Un sistema capaz de alcanzar niveles elevados de producción.
4. Un sistema de producción que pueda utilizarse durante mucho tiempo en cada animal, en vez de tener que sacrificar a un individuo cada vez que necesite obtener el agente biológico.

Para la primera característica, bueno, aquí está la edición genética. Para las características 2, 3 y 4, existen los huevos.

Es perfectamente lógico que la edición genética para la producción de productos biológicos en huevos de gallina esté progresando con fuerza. Se han dado ya pasos muy importantes, especialmente si tenemos en cuenta que en realidad la edición genética solo fue técnicamente factible a partir del año 2012.

Uno de los programas más avanzados ha combinado la edición genética y el elevado potencial natural de las proteínas de los huevos en la producción de un producto biológico llamado interferón beta. Este producto biológico se utiliza en el tratamiento de la forma de esclerosis múltiple llamada 'recurrente' y suele ser muy caro de producir. En una colaboración entre el Instituto de Ciencias Agrarias y Ganaderas de Tsukuba, Japón, y una empresa de Tokio llamada Cosmo Bio, se utilizó la edición genética para crear unas gallinas cuyos huevos fuesen ricos en interferón beta.[15] Los investigadores están convencidos de que esto podría reducir los costes de producción hasta un 90 por ciento.

Reducir el precio de estas drogas es vital tanto para los productores como para los pacientes. Uno de los peores problemas a los que tiene que hacer frente la industria farmacéutica es el hecho de que las drogas que producen son demasiado caras para los presupuestos de que disponen los proveedores de asistencia sanitaria. Una droga biológica llamada kanuma ha sido producida en huevos utilizando una tecnología más antigua de edición genética. Esta droga se desarrolló para tratar una enfermedad muy rara que afecta solo a diecinueve personas en el Reino Unido.[16] La agencia reguladora de la Unión Europea ha autorizado el uso de la kanuma, lo que significa que es una droga segura y clínicamente eficaz. Pero el National Institute for Health and Care Excellence decretó que a 500.000 libras por paciente, no creaba suficientes beneficios a largo plazo que justificasen este nivel de gasto. Esta cuestión de la amortización –que nadie tenga que pagar por los medicamentos– es el mayor rompecabezas al que tiene que hacer frente la industria farmacéutica. Si la edición genética puede reducir sustancialmente los costes, incrementaría la probabilidad de que los pacientes tuvieran acceso a nuevas terapias capaces de salvarles o de mejorar su calidad de vida. Pero lo más probable es que esta reducción en los costes de producción de la droga solo tenga sentido si hay cientos o miles de pacientes que la necesiten. En el caso de las enfermedades ultra-raras todos los demás costes involucrados en la purificación, elaboración y distribución de la droga, y particularmente los derivados de la necesidad de hacer ensayos clínicos, puede que tengan como resultado una decisión económica negativa.

Del sandwich al órgano

Hay situaciones en las que las necesidades clínicas de un paciente son simplemente demasiadso extremas para que sea posible tratarlas eficazmente o curarlas mediante el uso de drogas o de otras tecnologías existentes. En ocasiones, la solución solo puede ser un órgano completamente nuevo. Tal vez un hígado, quizás un riñón, tal vez un corazón o unos pulmones. Sin un trasplante, el destino inexorable del paciente será la degradación de su salud y finalmente la muerte.

La tecnología de los trasplantes existe y la práctica clínica de la misma está bien establecida. Los beneficios para la asistencia sanitaria son obvios y cuantificables. Pero cada año mueren muchas personas antes de poder recibir un trasplante. En Estados Unidos hay actualmente casi 115.000 personas que necesitan esta intervención de supervivencia, y de promedio cada día mueren unas veinte personas que están en lista de espera.[17] Situaciones parecidas se repiten en todo el mundo simplemente porque no hay suficientes personas dispuestas a dar sus órganos una vez fallecidos, pese a que cada donante puede salvar, de promedio, ocho vidas.

Las campañas de concienzación públicas ponen énfasis en estos datos en un intento de incrementar el índice de donaciones. Algunos países, como Bélgica y Austria, han optado por un sistema de donación automática por el que el consentimiento implícito de la donación de órganos se da por supuesto a menos que el potencial donante haya dejado muy claro que está en contra de la decisión. De todos modos, sigue habiendo una gran escasez de órganos disponibles en todo el mundo, especialmente con la reducción de muertes por accidentes de tráfico, ya que las personas fallecidas en estas circunstancias eran una de las principales fuentes de donación de órganos. Se necesita urgentemente una nueva fuente de órganos compatibles.

¿Y si en vez de recurrir a donantes humanos pudiésemos utilizar órganos de animales? Este enfoque se conoce con el nombre de 'xenotrasplante', de la palabra griega 'xeno' que significa 'de origen extranjero'. Este ha sido durante mucho tiempo el sueño de los especialistas en trasplantes. Los órganos de cerdo son a menudo los candidatos más probables, porque por tamaño y estructura son parecidos a los organos humanos, y fisiológicamente son muy similares en el caso de estructuras como el corazón. En términos mecánicos y eléctricos, un corazón de cerdo encaja bastante bien en una cavidad torácica humana.

Lamentablemente, son varios los obstáculos que hay que superar antes de que el cerdo pueda suministrarnos no solo tocino y bacon, sino también órganos para trasplantes. Una vez más, sin embargo, la edición genética puede ayudarnos a encontrar el camino para superar dichos obstáculos.

Los genomas de casi todos los mamíferos contienen agentes durmientes. Dichos agentes son virus que hace tiempo dejaron de causar estragos transmitiéndose de un paciente enfermo a otro, y pasaron a insertar su propio material genético en los genomas de sus huéspedes. Y ahora permanecen dormidos, y son copiados cada vez que su huésped copia su propio ADN y una célula se divide para formar dos. Cuando nos reproducimos pasamos a nuestros hijos estos polizones envueltos como un regalo en nuestras propias cintas genéticas. A lo largo de la evolución, los mamíferos han desarrollado varias defensas moleculares para mantener inactivos a estos intrusos. Pero si estos mecanismos se estropean, los virus durmientes pueden despertarse y entrar en una fase más activa, convirtiéndose de nuevo en merodeadores.

Los cerdos no son ninguna excepción por lo que respecta a este proceso. Los investigadores han identificado los virus que están al acecho sin ser vistos en el genoma del cerdo. Han demostrado que estos virus están efectivamente latentes. No están muertos, no están desactivados, solo están callados. Y con el estímulo apropiado pueden despertarse.

Lo que es especialmente preocupante para el campo de los xenotrasplantes es que estos virus del cerdo también pueden infectar las células humanas. Supongamos que un humano recibe un corazón para trasplante procedente de un cerdo. Es sumamente probable que el humano esté tomando drogas para reducir la respuesta del sistema inmunológico y minimizar el riesgo de rechazo del órgano trasplantado. Si los virus del cerdo se reactivan, el sistema inmunológico puede ser incapaz de defenderse de ellos con suficiente fuerza y rapidez. El virus puede agarrarse bien y hacer enfermar al receptor. Y lo que es aún peor, el receptor puede transmitir el virus a otras personas. Como especie no somos muy buenos enfrentándonos a las infecciones víricas que no hemos conocido antes: cuando los europeos invadieron lo que hoy se conoce como la América Latina, llevaban consigo unos virus que exterminaron entre un 75 y un 90% de la población indígena.

Este nivel de mortalidad probablemente no se produciría en respuesta al escenario esbozado más arriba en el caso de los trasplantes con órganos de cerdo, pero existe ciertamente un riesgo para las personas inmunodeprimidas que estén en contacto con los receptores infectados. Esto incluye a los muy jóvenes, a los ancianos y a los enfermos. Esta enfermedad es bastante común en los hospitales, lugares que lógicamente los trasplantados visitan regularmente.

John Church es un profesor de la Harvard Medical School. A lo largo de su vida ha publicado unos 500 artículos y ha adoptado las nuevas técnicas de la edición genética con todo el celo de un explorador o misionero del siglo XIX, que es la impresión que produce debido a la barba que luce. Su trabajo ha sido determinante para ampliar los límites de lo que es posible conseguir con dichas técnicas, y su trabajo sobre los virus del genoma del cerdo es un buen ejemplo de ello. Son 62 los virus latentes en el genoma del cerdo. Church y sus colaboradores utilizaron la técnica de la edición genética para desactivarlos a todos y cada uno de ellos simultáneamente. Esto habría resultado prácticamente imposible y habría sido una auténtica pesadilla logística si solo se hubieran podido utilizar las formas más antiguas de manipulación genética. La transmisión de virus entre células de cerdo y células humanas se redujo en un mil por cien.[18]

Dos años más tarde, George Church fue uno de los líderes del equipo que dio el siguiente paso adelante. Su investigación original la habían llevado a cabo en el laboratorio y solo con cultivos celulares. El año 2017 combinaron la edición genética con enfoques propios de la clonación animal y crearon cerdos editados que no podían reactivar a los secuestradores virales en sus genomas.[19]

Se ha atribuido a Church la afirmación de que los trasplantes cerdo-a-humano serían factibles antes de finales del año 2019.[20] Parece una afirmación extraordinariamente optimista, al menos en Occidente, donde es poco probable que pueda siquiera conseguirse aprobación ética para este tipo de procedimientos tan radicales. También hay otros muchos obstáculos a superar, particularmente para impedir el rechazo rápido del corazón trasplantado. Pero si combinamos los descubrimientos de diferentes grupos que están trabajando por separado en todos los problemas técnicos, podemos estar cada vez más confiados en que podremos utilizar la edición genética para hackear el genoma del cerdo de muchas maneras, creando rebaños de cerdos con exactamente las características necesarias para tener éxito. Como mínimo podemos esperar que lo conseguiremos en los trasplantes de corazón, pulmones y riñones.

Es probable que llegue un día en que dejemos de considerar que el mejor amigo del hombre (y de la mujer) es el perro, para dar este título honorífico al cerdo.

5
Autoedición genética

Los seres humanos somos animales. Esto no es un juicio de valor, es solo un hecho biológico. Sabemos ya que la edición genética funciona en muchos animales, desde los salmones a las ovejas y desde los pollos a las vacas. Y hay muchos motivos para suponer que también funcionará en los humanos. También sabemos ya que lo ha hecho con éxito con células humanas en el laboratorio. El siguiente paso es averiguar si podemos hacer que la técnica funcione en células humanas vivas.

La aplicación de nuevas técnicas a los humanos sigue normalmente un camino bien definido prescrito por especialistas del ámbito técnico, médico y ético. Hay regulaciones que tienes que seguir, permisos que tienes que obtener, procesos de supervisión que tienes que establecer. Inicias el proceso en células, luego en otras especies animales y finalmente, tras años de experimentos y revisiones cautelosos, lógicos y secuenciales, tú y tus equipos de investigación podéis aplicar la tecnología a un ser humano real.

También es posible que decidas ser lo que se conoce como un *biohacker* y que te saltes todo esto y experimentes contigo mismo. Sí, de veras. Debido a que las materias primas necesarias para la edición genética son tan baratas y tan fáciles de obtener, es alarmantemente sencillo generar los reactivos moleculares para hacer la prueba en casa. Puedes literalmente inyectarte tú mismo materiales para la edición genética y absolutamente nadie puede hacer nada para impedírtelo.

Josiah Zayner es la primera persona conocida que afirma haberlo hecho. Encantadoramente, es lo más parecido posible a la idea que uno se haría de un biohacker: dirige una *start-up* tecnológica desde un garaje, viste camisetas originales con frases del tipo "Not Working For The Man" [Yo no tengo jefe]. Zayner tiene grandes ideas para facilitar el acceso público a la edición genética. Dicho con sus propias palabras: "Yo quiero vivir en un mundo en el que la gente, cuando se emborrache, en vez de hacerse tatuajes, diga 'Estoy borracho y voy a autoeditarme genéticamente.'"[1]

Podríamos pensar que sería mejor vivir en un mundo en el que a la gente que se emborracha le prohibiesen entrar en un salón de tatuajes en vez de facilitarle el acceso a una gama mayor de decisiones erróneas, pero en este punto siempre habrá diversidad de opiniones.

Zayner parece ciertamente haber estado dispuesto a respaldar sus propias palabras. En una conferencia que dio en octubre de 2017 se inyectó él mismo en un brazo un preparado para la edición genética. El preparado estaba pensado para estimular el crecimiento muscular. De hecho, estaba utilizando la edición genética para inhibir el gen de la misotatina, el mismo enfoque que ya se había ensayado previamente con éxito para crear ovejas y conejos más musculosos.

En cierto modo Zayner estaba siguiendo una larga tradición de autoexperimentación médica. Pierre Curie se ató con cinta adhesiva en el brazo un paquete de sales de radio para demostrar que la radiación causaba quemaduras. Barry Marshall se tragó deliberadamente unas bacterias para confirmar su hipótesis de que las úlceras de estómago las causaba una infección de *Helicobacter pylory* (estaba en lo cierto, el pobre).

Una característica destacable de los casos históricos de autoexperimentación médica es que la persona implicada salió a menudo perjudicada a consecuencia del procedimiento. Este es a menudo uno de los factores que lleva a la práctica de la autoexperimentación. Probablemente, el que experimenta nunca conseguiría la aprobación ética para llevar a cabo el experimento en otra persona, o su propia brújula moral le desaconsejaría hacerlo.

Los datos procedentes de estudios hechos con animales sugieren que la edición genética es un procedimiento seguro, pero esto no significa que Josiah Zayner no corriese ningún riesgo cuando llevó a cabo su experimento de autoedición genética. Probablemente los riesgos no se debían tanto al hecho mismo de la edición genética como a la posibilidad de una respuesta inmunológica a los reactivos o a una infección provocada por una mala esterilización del preparado.

Felizmente, en este caso nuestro conejillo de indias humano no sufrió ningún daño. Pero tampoco consiguió mejorar su musculatura. ¿Qué nos dice esto, por tanto, de la eficacia de la edición genética en humanos?

La respuesta es muy simple. No nos dice absolutamente nada. No tenemos ni idea de lo que contenía la jeringuilla que utilizó Zayner para inyectarse el preparado. No tenemos motivos para pensar que no fuesen reactivos para la edición genética lo que se inyectó, pero no sabemos nada de la dosis, de si había sido adecuadamente preparada ni de un montón de otros factores que podían afectar la probabilidad de que su experimento funcionase efectivamente. Fue una manera eficaz de llamar la atención, pero ahora mismo levantar pesas en vez de jeringuillas sigue siendo la mejor manera conocida para que el ser humano promedio incremente su masa muscular.

En busca del éxito

La única forma que tenemos de estar absolutamente seguros de que la edición genética funciona en humanos, sin riesgos y con resultados fisiológicos concretos para nosotros, es llevar a cabo los ensayos clínicos apropiados. Dichos ensayos requerirán la realización de montones de procedimientos de alta calidad en cuanto a fabricación, supervisión, monitorización, estandardización y seguimiento, así como un número suficiente de sujetos para poder generar datos estadísticamente significativos y confianza en los resultados obtenidos. Todo esto será caro, probablemente del orden, como mínimo, de decenas de millones de dólares. Es poco probable que los donantes filantrópicos avancen el dinero, principalmente porque existen maneras menos arriesgadas, y de efectos más inmediatos, para mejorar la salud y el bienestar humano, si se dispone del dinero suficiente para implementarlas. Los ejemplos vienen fácilmente a la mente: sistemas de tratamiento de aguas residuales, campañas de vacunación, mosquiteras y suplementos nutritivos. Lo que solamente nos deja el sector privado. Y el sector privado solo invierte dinero si cree que con ello se generan beneficios tangibles. La forma más atractiva de hacerlo es utilizando la edición genética para crear nuevas formas de tratar enfermedades graves.

Naturalmente, si uno se va a gastar decenas, o posiblemente centenares de millones de dólares tratando de llevar a cabo una investigación de edición genética hasta llegar a la meta de poder registrar y patentar el producto resultante de la misma, seguramente querrá seleccionar una enfermedad de la que pueda razonablemente esperar tener éxito para curarla. Y la lista de factores esenciales a considerar es muy larga. ¿Podrá estar seguro al cien por cien de que los pacientes a los que se habrá diagnosticado la enfermedad tienen todos la misma enfermedad? Esto descarta enfermedades como la esquizofrenia, puesto que existen muchas formas diferentes de la enfermedad. ¿Conoce exactamente cómo se causa la enfermedad en sus pacientes? Esto descarta la diabetes de tipo 2, en la que no está claro cuál es el paso clave en el desarrollo de la enfermedad. ¿Sabe usted qué cambio genético tiene que crear? Esto descarta la esclerosis múltiple, en la que, según creemos, existen múltiples variaciones genéticas menores que interactúan con el entorno para desencadenar la enfermedad. ¿Está usted seguro de que llevar a cabo la modificación concreta que tiene en mente impedirá o revertirá la patología? Esto descarta la enfermedad de Alzheimer. Ensayos con drogas orientados a lo que considerábamos que era la ruta fundamental han fallado de manera espectacular recientemente,[2] y las empresas implicadas han perdido probablemente miles de millones de dólares a consecuencia de ello. ¿Es usted capaz de hacer llegar los reactivos para la edición genética a los tejidos donde son más necesarios y en dosis lo suficientemente altas? Esto probablemente excluye la enfermedad de Parkinson, pues el tejido cerebral no es un tejido al que sea fácil acceder. ¿Permanecerán vivas en el cuerpo durante mucho tiempo las células editadas, y podrán idealmente pasar su ADN modificado a las células hijas? Esto es importante si quiere limitar el número de veces que necesita aplicar el tratamiento, y puede dificultar el uso de este enfoque para tratar estados como el de la pérdida muscular en las personas mayores, dado que en este caso los músculos han agotado toda su capacidad regeneradora.

De hecho, es poco probable que muchos de los trastornos y enfermedades más comunes y debilitantes sean buenos candidatos para la edición genética en un futuro próximo, porque tienen una dificultad mayor en una o varias de las áreas problemáticas mencionadas. Cuando pensamos en la complejidad del problema, podemos preguntarnos si realmente existe alguna enfermedad a la que puedan adecuarse estos criterios. Y aún en el caso de que lo hagan, ¿habrá suficientes pacientes para hacer económicamente viable la edición genética?

Por asombroso que parezca, la respuesta a estas dos cuestiones es positiva. Dado que la edición genética se desarrolló básicamente a partir de una carrera armamentista entre bacterias y virus, parece apropiado que las enfermedades inicialmente abordadas por esta tecnología sean las que se desarrolllaron inicialmente como parte de una carrera armamentista entre los humanos y un parásito.

Una sangre mejor

Los glóbulos rojos son unas células vitales en prácticamente todos los vertebrados. Una de sus principales funciones es transportar el oxígeno allí donde se necesita, y llevarse el dióxido de carbono de los tejidos antes de que este gas alcance niveles peligrosos. Las moléculas del gas se unen a un pigmento que contienen los glóbulos rojos llamado hemoglobina, que confiere a las células su color. Este pigmento está hecho de cuatro cadenas de proteínas, de dos tipos diferentes. En los adultos humanos, dos de las cadenas se denominan alfa y las otras dos beta. Los glóbulos rojos están llenos a rebosar de hemoglobina.

En la enfermedad genética de la anemia falciforme, los pacientes tienen mutaciones en el gen que codifica la cadena beta de la hemoglobina. La mutación se hereda tanto del padre como de la madre, por lo que los pacientes no tienen un gen normal para esta proteína. En estos casos la proteína de la hemoglobina se pliega de manera incorrecta y distorsiona totalmente la estructura de la célula. Esto dificulta la movilidad de los glóbulos en su viaje por los vasos sanguíneos más estrechos, quedando a veces atrapados en ellos y provocando fuertes dolores. Este tipo de células deformes también son menos eficientes transportando el oxígeno por el cuerpo, lo que provoca dificultades respiratorias en los pacientes.

Existe otro grupo de enfermedades llamadas talasemias. En ellas, los pacientes producen menos cantidades de lo normal de la cadena alfa o de la cadena beta de la hemoglobina. Esto hace que los glóbulos rojos sean más frágiles y que no duren mucho. Los pacientes desarrollan anemia (falta de glóbulos rojos), tienen dificultades respiratorias y se cansan mucho. Igual que en el caso de la anemia falciforme, los pacientes de las talasemias heredan las mutaciones de los dos progenitores.

Estas dos enfermedades son sorprendentemente comunes. Sorprendentemente, aproximadamente el 1,1% de las parejas en todo el mundo están en peligro de tener un hijo con un trastorno en la hemoglobina.[3] Hay un número mucho más alto de personas que tienen un gen de la hemoglobina mutante (portadores) de lo que sería de esperar en función de la distribución genética normal. No obstante, este es un fenómeno localizado, pues se da en algunas regiones del mundo pero no en otras. A comienzos de la década de 1950, un grupo de investigación que trabajaba en Kenia se percató de que un gen mutante de la hemoglobina se encontraba con mucha más frecuencia en áreas en las que la malaria era endémica que en áreas donde el riesgo de contraer esta enfermedad era menor. Más tarde demostraron que los glóbulos rojos de los portadores de la mutación en la hemoglobina eran más resistentes a la infección de la malaria que los glóbulos rojos con la hemoglobina normal.[4] Originalmente esta asociación se demostró que era cierta en el caso de la mutación de la anemia falciforme, y posteriormente se comprobó que también lo era en las talasemias, que tienen una elevada frecuencia de portadores en las regiones donde la malaria era común.

Aunque hay claras desventajas en el hecho de ser portador de dos copias del gen mutante de la hemoglobnina –a nadie le gusta tener los síntomas avanzados de la anemia falciforme o de la talasemia–, estas desventajas se ven genéticamente compensadas por los beneficios que produce tener una sola copia mutante. Esta ventaja ha mantenido los altos niveles de los portadores en las regiones geográficas relevantes, pues en estas se ganó la carrera de armamentos contra el parásito de la malaria.

Existe una serie de características que hacen que estos trastornos en la hemoglobina sean un primer objetivo perfecto para las terapias construidas en torno a la edición genética. Pueden ser diagnosticados con un cien por cien de certeza, y es fácil determinar exactamente qué cambio genético hay que llevar a cabo en un paciente. En los enfermos, las dos copias del gen son mutantes. En los portadores, una copia es normal y la otra mutante, y el portador está sano. Así pues, sabemos que, en el caso de los enfermos, convertir una de las copias mutantes en copia normal debería ser suficiente para superar la enfermedad y equiparar a un enfermo con un portador. Aunque los glóbulos rojos sanos solo duran unos 120 días en el cuerpo, todavía estamos en condiciones de aplicar la técnica de la edición genética con un pequeño número de intervenciones. Esto es así porque podemos extraer células madre de la médula ósea, editar su ADN y reintroducir las células corregidas en la médula. Una vez reestablecidas en la médula, las células madre deberían seguir produciendo glóbulos rojos sanos durante décadas.

Hay también un número suficiente de pacientes para que estas intervenciones sean económicamente viables. Aunque los trastornos en la hemoglobina se produjeron en las regiones donde estaba más extendida la malaria –es decir, en las regiones más pobres– el fenómeno migratorio global significa que este tipo de trastornos son bastante comunes en países en los que existe una estructura sanitaria bien establecida. Hay unos 100.000 norteamericanos con anemia falciforme[5] y el número de enfermos en la Unión Europea está en torno a los 127.000.[6] Significativamente, no existen terapias realmente efectivas para estos estados.

El primer enfoque que se ha ensayado es algo intrigante, y ha sido impulsado por un fenómeno inusual observado en algunos pacientes. Los médicos saben desde hace tiempo que hay algunas personas que tendrían que estar muy enfermas, con anemia falciforme o con alguna de las talasemias, pero que están notablemente sanas. Los análisis genéticos practicados en estas personas demostraron que habían heredado las mutaciones de ambos progenitores y que, sin embargo, no habían enfermado.

Estudios genéticos más detallados mostraron que estas personas anómalas estaban protegidas de los efectos patógenos de la mutación debido a que en realidad eran portadores de otra mutación. Esto puede parecer extraño, ya que la palabra 'mutación' está a menudo cargada de connotaciones negativas, pero en realidad se refiere simplemente a un cambio en la secuencia de ADN. Una mutación puede no tener efectos, tener efectos negativos, o incluso tener efectos positivos para un individuo.

Los adultos producen una forma de hemoglobina conocida, de manera nada sorprendente, como hemoglobina de adulto. Pero cuando un feto se está desarrollando en el útero expresa una forma diferente de hemoglobina, llamada (con un alarde de originalidad) hemoglobina fetal. Esto es así porque los niveles de oxígeno en el entorno uterino son diferentes de los existentes en el mundo exterior. El feto y el adulto producen diferentes tipos de hemoglobina para asegurarse de que sea el más adecuado al entorno en cada caso. La hemoglobina de adulto y la hemoglobina fetal son codificadas por genes diferentes.

Después del nacimiento, la expresión de los genes de la hemoglobina fetal se modula a la baja y la de la hemoglobina de adulto se intensifica. A los pocos meses, toda la hemoglobina presente en los glóbulos rojos es la producida por los genes del adulto. Pero ocasionalmente se produce una mutación en la región de control de la hemoglobinba fetal que hace que esta no se desactive. Los adultos con esta mutación siguen produciendo hemoglobina fetal, pero afortunadamente esto no parece tener ninguna consecuencia dañina.

Todos los pacientes que tendrían que haber tenido los síntomas de la talasemia o de la anemia falciforme, pero que se encontraban bien, habían heredado la mutación en la región de control de la hemoglobina fetal además de la mutación causante de la enfermedad en su gen de la hemoglobina del adulto. La continua producción de la forma fetal de la proteína los protegía de los peores efectos de la enfermedad.

La empresa especializada en edición genética CRISPR Therapeutics ha sabido aprovechar este conocimiento clínico. Su estrategia es extraer células de la médula ósea de los pacientes con un trastorno en la hemoglobina y editar su ADN en el laboratorio, de modo que las células madre resultantes contengan la mutación protectora que a veces se encuentra de manera tan fortuita en la naturaleza. Luego repueblan la médula ósea del paciente con células madre editadas; estas producen glóbulos rojos que expresan la hemoglobina fetal que protegerá al paciente.

Podríamos preguntarnos por qué la empresa ha adoptado este enfoque en vez de corregir la mutación causante de la enfermedad en el gen de la hemoglobina del adulto. El motivo es que la estrategia elegida funciona con cualquier paciente, independientemente de cuál es la mutación que causa la enfermedad. Esto significa que pueden crear un protocolo estándar de edición genética que puede funcionar en todos los pacientes, en vez de tener que diseñar reactivos y procedimientos en cada caso individual. Esto reduce mucho los costes y también hace que los ensayos clínicos sean más fáciles de estandarizar y de interpretar.

Todo el trabajo preliminar de laboratorio con células humanas y modelos animales parecía muy prometedor, y CRISPR Therapeutics (junto con la empresa asociada Vertex Pharmaceuticals) presentó solicitudes a los organismos reguladores en diciembre de 2017 para que les permitiesen iniciar pruebas de su enfoque en adultos humanos que tenían el trastorno. Si examinamos la base de datos de European Clinical Trials podremos comprobar que ya se ha presentado una solicitud para llevar a cabo dicho ensayo,[7] y de hecho la solicitud ya ha sido aprobada.

Una solicitud similar fue presentada en Estados Unidos y al parecer iba por buen camino. Sin embargo, a finales de mayo de 2018 las empresas solicitantes anunciaron que la Food and Drug Administration (FDA) había suspendido temporalmente la aprobación de la solicitud y les pedía más información.[8] Lamentablemente, no ha habido ninguna declaración pública respecto a qué es lo que les preocupa, por lo que no sabemos cuáles son los motivos de la suspensión. La decisión no es nada sorprendente, sin embargo, porque este será el primer ensayo clínico a gran escala de esta tecnología que se llevará a cabo en humanos, de modo que hay un montón de incógnitas que hay que esclarecer.

Iniciativas de edición genética en humanos

Anteriormente, versiones más complejas de edición genética basadas en tecnologías mucho más caras y mucho menos fáciles de implementar se han utilizado recientemente a muy pequeña escala. Existe una enfermedad llamada síndrome de Hunter en la que los pacientes carecen de una proteína fundamental. Debido a ello, sus células son incapaces de descomponer algunos hidratos de carbono. Estos se acumulan en las células y provocan una serie de síntomas como pérdida auditiva, problemas respiratorios, disfunción intestinal, un riesgo más elevado de sufrir infecciones y deterioro cognitivo. Cabe la posibilidad de administrar a los pacientes de esta enfermedad una inyección de la proteína, pero esto es carísimo, entre 100.000 y 400.000 dólares al año por cada paciente. En noviembre de 2017, un equipo de la UCSF (Universidad de California en San Francisco) inyectó a un paciente de 44 años de edad con el síndrome de Hunter, un virus que hacía de vector, como era habitual en la tecnología de edición genética de primera generación. El objetivo era que el virus llegase al hígado del paciente y liberase la maquinaria para la edición genética en el interior de las células hepáticas. Dicha maquinaria había sido diseñada para insertar el gen de la proteína faltante. Si todo iba bien, las células hepáticas empezarían a producir la proteína y a liberarla posteriormente en el torrente sanguíneo. No había expectativas de que este enfoque pudiese revertir el daño ya existente, pero se confiaba en que pudiese impedir el progreso de la enfermedad.

Este experimento humano provocó una gran excitación y muchos titulares exagerados en los periódicos, como "Los científicos destacan los resultados positivos de la aplicación por vez primera en la historia de una terapia de edición genética."[9] Pero lo que realmente había sucedido era que los investigadores no habían detectado efectos negativos importantes. El paciente, Brian Madeux, no había sufrido ninguna reacción adversa grave a la edición genética, y esto había dado confianza a los investigadores para proseguir con el ensayo y administrar el virus vector a una segunda persona con el mismo trastorno.

Las personas con síndrome de Hunter normalmente mueren entre los diez y los veinte años de edad, por lo que Brian Madeux es un caso clínicamente atípico con una versión bastante leve de la enfermedad. Su participación en el ensayo clínico permitió a los investigadores dar respuesta a varias preguntas importantes y valorar aspectos críticos como si habían utilizado una dosis suficientemente alta; qué porcentaje de células hepáticas tenía que editarse para provocar un incremento detectable en la proteína faltante; cuánto tiempo lograban sobrevivir y producir la proteína las células hepáticas editadas, o si transmitirían a sus células hija la característica funcional editada. Toda esta información será muy útil para los siguientes ensayos clínicos que se lleven a cabo con esta misma terapia, pero el hecho de que la participación de Brian Madeux en este primer ensayo sea clínicamente beneficiosa para él es mucho más discutible. A menudo ovacionamos a los médicos y científicos que desarrollan nuevos enfoques terapéuticos, pero no debemos olvidar que sin pacientes, muchos de los cuales aceptan participar en ensayos clínicos más con la esperanza de ayudar a otros que con una expectativa real de encontrarse mejor ellos mismos, no habría progresos.

Podríamos preguntarnos cómo es que el ensayo pudo llevarse a cabo, teniendo en cuenta que utilizó una forma antigua de edición genética que es considerablemente inferior a la tecnología más reciente. La razón más probable es que la empresa responsable, Sangamo Therapeutics, ya había invertido cantidades importantes y durante varios años en este enfoque. Llega un momento en que cuando has apostado tanto dinero –y no nos equivoquemos, el desarrollo de nuevas drogas y medicamentos es una forma de juego de azar muy de gama alta– no puedes hacer otra cosa que seguir adelante.

Hay que llegar a puerto

Uno de los mayores problemas para que la edición genética funcione en el ámbito clínico tiene realmente poco que ver con la tecnología básica de la propia edición genética. Es el mismo problema que ha obstaculizado el progreso de las viejas terapias genéticas, y es básicamente un problema de distribución.

Todos hemos llegado a sentirnos cómodos con el hecho de tomar medicinas en forma de pastillas o de líquidos. Te tragas una píldora y listo. El problema es que esto solo funciona en el caso de las drogas tradicionales en forma de moléculas pequeñas como la aspirina, los antibióticos o los antihistamínicos. Los preparados grandes y complejos, como los reactivos que se utilizan en la edición genética, no pueden administrarse de esta forma. Básicamente porque no pueden sobrevivir las inclemencias del viaje por un medio tan ácido como el estomacal.

Si uno pretende distribuir algo grande y complejo por el cuerpo humano normalmente tiene que inyectarlo en el torrente sanguíneo. La sangre es la red de transporte de nuestros cuerpos, y lleva nutrientes, gases y toxinas a sus respectivos destinos. En el primer momento del viaje, cualquier cosa inyectada llegará al hígado, el gigantesco órgano encargado de la descontaminación. Una de las principales tareas del hígado es la desintoxicación, pues se ocupa de descomponer todas las materias foráneas extrañas antes de que puedan causar daño a los tejidos.

El problema es que para el hígado los reactivos que se utilizan en la edición genética son igual de extraños que otras muchas sustancias que vienen del exterior. Así que hace su trabajo y los descompone como a cualquier otro invasor, por lo que la dosis que llega finalmente a puerto, es decir, a los tejidos a los que tiene que llegar es demasiado pequeña para surtir el efecto deseado.

No tiene, pues, nada de sorprendente que los ensayos clínicos sobre el síndrome de Hunter que utiliza una vieja versión de la edición genética tengan como objetivo una enfermedad en la que no se necesita que los reactivos vayan más allá del hígado. De hecho, la propensión de las células hepáticas a absorber materiales extraños es a fin de cuentas una ventaja en estos casos. Si los científicos consiguen crear el paquete idóneo para envolver la mercancía, la función normal de las células hepáticas contribuye en realidad a desenvolver el contenido del paquete, su carga útil genética, que de este modo tiene una buena oportunidad de llegar a su destino, el núcleo de la célula, y editar el ADN que se encuentra allí. Si esto da resultado, es el propio hígado el que produce la proteína faltante y la descarga en el torrente sanguíneo, pudiendo así viajar hasta los tejidos destino y hacer su trabajo.

Los ensayos que están en desarrollo respecto a la anemia falciforme y a las talasemias también tienen que resolver el problema de hacer que la entrega llegue a puerto, aunque viaje por una ruta diferente. En este caso, los reactivos para la edición genética se entregan directamente a las propias células del paciente, pero esto se hace en un laboratorio más que en el cuerpo. Una vez que la edición ha tenido lugar, las células pueden ser devueltas al cuerpo, de un modo muy parecido al de una típica transfusión de sangre.

Aunque creemos que todos los tejidos del cuerpo están conectados e integrados, especialmente por medio del sistema sanguíneo, hay excepciones. Estas excepciones se conocen como sitios privilegiados que actúan como regiones independientes dentro de la gran entidad federal. Este es uno de aquellos fenómenos con los que muchas personas están familiarizadas, sin realmente percatarse de ello. Todos somos conscientes de que para el trasplante de órganos como los riñones, el hígado, el corazón o los pulmones, y otros muchos, es importante 'emparejar' lo mejor posible donante y receptor. Por 'emparejar' entendemos esencialmente que hemos de tratar de encontrar una pareja de donante y receptor en los que las marcas de identidad de los respectivos sistemas inmunológicos sean lo más similares posible. Esto reduce las probabilidades de que el órgano trasplantado sea rechazado por los siempre vigilantes defensores del sistema inmunológico, que han aparecido en el curso de la evolución para protegernos de los patógenos foráneos. Incluso cuando donante y receptor están razonablemente bien emparejados, es frecuente que el receptor tenga que pasar el resto de su vida medicándose con fármacos que amortiguarán su protección inmune.

La historia es muy diferente en el caso del trasplante de córnea. La córnea es la capa transparente en la parte frontal del ojo. En los trasplantes de córnea no es necesario emparejar donante con receptor, y los pacientes trasplantados tampoco tienen que tomar fármacos inmunodepresivos. Esto es así porque nuestros ojos están efectivamente ocultos al sistema inmunológico. Son unos privilegiados, y esta característica casi con toda seguridad surgió en el curso de la evolución como forma de prevenir peligrosas reacciones inflamatorias en los ojos que podrían dejarnos ciegos.

Debido a que no debemos preocuparnos por la posibilidad de que el sistema inmunológico ataque a agentes foráneos introducidos en el ojo, este órgano es un buen candidato para la edición genética. Podemos inyectar los reactivos directamente en la parte relevante del ojo, con la garantía de que no serán rápidamente aniquilados por una respuesta inmune demasiado entusiasta. También sabemos que los reactivos para la edición genética no saldrán del ojo, por lo que no tenemos que preocuparnos de que entren en el tejido equivocado y procedan tal vez a editar lo que no deben.

Los experimentos realizados en células humanas y en modelos animales ya han demostrado que la edición genética funciona en las células del ojo. En teoría tendría que ser posible utilizar esta tecnología para estabilizar e incluso revertir varias formas de ceguera. Esto incluye los tipos causados por mutaciones genéticas como la retinitis pigmentaria o incluso trastornos relacionados con la edad que afectan a la población general, incluida la degeneración macular.

Editas Medicine, una empresa dedicada a la edición genética, proyectaba realizar ensayos clínicos con este enfoque para tratar de curar una enfermedad genética conocida como amaurosis congénita de Leber. Se trata de una forma común de ceguera infantil en la que se produce una pérdida importante de visión antes de que el niño afectado llegue al primer año de vida, y que progresa eventualmente hacia la ceguera total. Editas Medicine proyectaba utilizar la edición genética para eliminar la mutación que provoca este trastorno, mediante una inyección directa en el ojo. Debido a un contratiempo, sin embargo, la empresa se vio obligada a posponer sus planes de someter su ensayo a la aprobación reguladora.[10] Al parecer no había nada erróneo en el enfoque para llevar a cabo la edición genética *per se*, pero la empresa tenía problemas con la elaboración de reactivos de calidad homologable y a la escala suficiente para poder llevar a cabo los ensayos clínicos. Probablemente no tiene nada de sorprendente que ahora hayan decidido hacer equipo con una empresa más consolidada llamada Allergan, que tiene mucha más experiencia en las funciones aparentemente prosaicas pero en realidad fundamentales que son necesarias antes de poder afirmar que disponemos de una terapia lo suficientemente buena para utilizarla en humanos.

Mirando hacia el este

Mientras las autoridades reguladoras en Estados Unidos y en Europa adoptan un enfoque comprensiblemente cauteloso respecto a la edición genética en humanos, las cosas están avanzando más rápidamente en China. Hay indicios de que aproximadamente unos 100 pacientes han sido tratados en hospitales chinos utilizando las formas más avanzadas de edición genética.[11] El problema es que esta afirmación se basa en declaraciones hechas por médicos chinos a periodistas occidentales. No se ha publicado ninguna monografía científica o informe clínico al respecto, por lo que es difícil saber qué enfermedades fueron tratadas o si se consiguió mejorar o estabilizar el estado de los pacientes gracias al uso de la nueva tecnología.

¿Por qué China está mucho más avanzada que el resto del mundo experimentando con esta tecnología? No podemos asegurarlo con certeza, dada la ausencia de detalles concretos, pero uno de los motivos es muy probablemente una cultura médica con menos aversión al riesgo y un sistema regulador menos riguroso. Las opiniones respecto a esta cuestión dependen probablemente de la situación de cada caso particular. Si uno tiene una enfermedad terminal o que acorta mucho la esperanza de vida y para la que no existe tratamiento conocido, posiblemente querrá poder acceder a nuevos tratamientos más pronto que tarde. Por otro lado, una supervisión reguladora poco cautelosa o demasiado permisible tampoco es deseable si el tratamiento propuesto es poco consistente.

No está claro por qué los médicos y los científicos chinos no publican sus métodos y sus resultados clínicos en la literatura médica. Sin embargo, ello puede ser en parte una consecuencia de los niveles aparentemente menos rigurosos de regulación vigentes en China. Si los ensayos no satisfacen los estándares éticos de las autoridades occidentales, muchos periodistas fuera de China se mostrarán reacios a publicar los artículos y monografías en los que describan sus intervenciones.

Puede que haya también una razón pragmática que explique la falta de publicaciones. Las tecnologías en las que se basa la edición genética son increíblemente valiosas, y las organizaciones que las han creado están dispuestas a proteger muy agresivamente la propiedad intelectual de las mismas. Reivindican su derecho a que les paguen grandes cantidades de dinero si alguien utiliza sus descubrimientos comercialmente, y en China la medicina procede en buena medida en el marco de un sistema de sanidad privado. Si uno no hace públicos los detalles de los tratamientos de edición genética que lleva a cabo, dificulta que alguien pueda demandarlo por infringir su propiedad intelectual.

Sea cual sea el motivo, es lamentable que salga tan poca información de China. Compartir esta información abiertamente aceleraría con toda seguridad el progreso global para beneficio de los pacientes de todo el mundo. Aportaría un criterio objetivo para valorar qué es eficaz y qué no lo es, y qué tratamientos están libres de riesgos, si es que hay alguno que lo esté.

6

La seguridad ante todo

Es evidente que las autoridades que regulan las actividades sanitarias están preocupadas por la seguridad de la edición genética. Por lo menos sí lo están las del mundo occidental. Pero no hemos de considerar este hecho como un signo de que la tecnología es inherentemente peligrosa. El primer obstáculo que todos los nuevos medicamentos tienen que superar es el relativo a la seguridad. Si un medicamento no es seguro, es poco probable que consiga los permisos necesarios para llegar al mercado.

Por supuesto, la seguridad es un término relativo. Para valorar la seguridad de un nuevo medicamento, por ejemplo, hay que tener en cuenta los beneficios que puede aportar. Si el medicamento que uno quiere poder comprar en la farmacia es para tratar la fiebre del heno, es poco probable que las autoridades reguladoras miren con buenos ojos su comercialización si entre los efectos secundarios de su administración se cuentan la náusea, los vómitos, una fátiga extrema y la pérdida del cabello. Por otro lado, si el medicamento en cuestión es la única opción que existe para salvar la vida de una persona que padece un cáncer de otro modo incurable, puede que las autoridades reguladoras decidan que estos efectos secundarios desagradables pero no fatales, son un inconveniente aceptable.

En realidad las compañías farmacéuticas son razonablemente capaces de identificar y de frenar el desarrollo de medicamentos que es probable que causen problemas de seguridad a gran escala. Sería ocioso llevar a cabo ensayos clínicos sumamente caros, si los resultados que obtienes en el laboratorio ya te indican que tu nuevo medicamento será rechazado por tener un nivel inadecuado de seguridad.

El problema es que cuanto más innovadora es una nueva terapia, menos cosas podemos predecir respecto a su seguridad. Podría ser una cosa tan extraña que simplemente nunca podríamos haberla previsto. Un ejemplo de esto fue el incremento del riesgo de sufrir narcolepsia en los niños y adultos jóvenes a los que se les administró una vacuna concreta contra la gripe el año 2009 en Europa.[1] No se ha aclarado todavía qué fue lo que produjo esta asociación, y no hubo manera humana de que alguien identificase dicho riesgo antes de que se utilizase la vacuna en grupos numerosos de personas.

Pero incluso con algo tan nuevo como la edición genética, investigadores y autoridades reguladoras pueden adoptar un enfoque lógico respecto a los riesgos que han de evaluar. La edición genética es esencialmente una forma de introducir cambios en el ADN. El motivo de que los científicos hayan adoptado de manera tan entusiasta la versión de la edición genética cuya existencia se hizo pública por vez primera en 2012 es que es más precisa que ningún otro enfoque desarrollado anteriormente.

Todo el campo científico dedicado a la edición genética se llevó un buen susto el año 2017 cuando un equipo de investigadores de la Universidad de California publicó un artículo en el que afirmaban que la edición genética realizada en una línea de células de ratón había introducido cientos, si no miles, de mutaciones inesperadas además de la proyectada.[2]

Esto produjo una preocupación enorme, especialmente teniendo en cuenta que la tecnología estaba a punto de entrar en la fase de las aplicaciones clínicas. Pero un año más tarde, el pánico se había esfumado. Otros investigadores demostraron que los experimentos originales habían sido muy mal diseñados y las conclusiones, en consecuencia, no eran fiables.[3] En una muestra de honradez científica, el equipo original revisó su trabajo y reconoció que las críticas eran pertinentes. La monografía que habían publicado fue posteriormente retirada, aunque solo dos de sus seis autores estuvieron de acuerdo con la decisión.

Se han formulado muchas críticas a los editores de la revista que publicó la monografía original. Esta es, por ejemplo, una durísima afirmación hecha por un profesor de la Universidad Nacional Australiana: "Me parece absolutamente increíble que este artículo se haya publicado en *Nature Methods*. Es un artículo pésimo y yo, como evaluador, lo habría desestimado ya en la primera ronda de evaluaciones. Es muy preocupante la tendencia que manifiestan algunas revistas "de gran repercusión" a potenciar la publicación de noticias sensacionalistas por encima de la ciencia más rigurosa. La publicación de este artículo constituye claramente un fracaso del método de la evaluación paritaria."[4]

Podríamos preguntarnos por qué los científicos protestaron tanto contra un artículo original y sus erróneas conclusiones. Después de todo, el proceso de corrección que asociamos con la investigación científica parecía funcionar. Se había publicado un artículo, una serie de investigadores manifestaron sus reticencias y se produjo una rectificación.

Pero existen buenos motivos para que los investigadores muestren su preocupación por lo que consideran como un descenso en los baremos aplicables a la literatura científica.

Algunas de las protestas procedían de compañías dedicadas al desarrollo de la edición genética para la creación de terapias. Debido a que la publicación original consiguió una importante difusión en la prensa popular, la cotización en la bolsa de dichas compañías recibió un duro golpe. Las empresas que trabajan en nuevas tecnologías están a menudo a la vanguardia de los desarrollos, por lo que reslta muy frustrante que su posición desde el punto de vista de las inversiones se vea comprometida por la divulgación de falsos problemas.

Otro problema es que los artículos retirados no desaparecen. El lector puede comprobarlo ahora mismo escribiendo los detalles de la controvertida publicación en un motor de búsqueda en internet, y encontrará montones de referencias a dicho artículo pero donde no se menciona el hecho de que haya sido retirado. Por consiguiente, este tipo de publicaciones problemáticas sigue enturbiando las aguas académicas.

El otro problema es el de la investigación que hace mala ciencia pero que en cierto modo explota una forma de pensar que desconfía de la tecnología, y esto puede ser enormemente perjudicial. En 1998, un científico llamado Árpád Pusztai que trabajaba en un centro de investigación de Escocia declaró que unos ratones que habían sido alimentados con patatas genéticamente modificadas (GM) estaban raquíticos y tenían el sistema inmunológico deteriorado. Hizo estas declaraciones en un programa de televisión antes de que sus trabajos hubiesen sido sometidos a revisión paritaria.

Las consecuencias fueron inmediatas y jugaron un papel importante en el furor que se desató en torno a los alimentos genéticamente modificados y a su posible impacto en la salud humana. Una evaluación científica hecha por representantes de la Royal Socierty dictaminó que los datos no respaldaban la conclusión que se había extraído de ellos.[5] Pero el daño ya estaba hecho. Incluso hoy, después de que muchos estudios no hayan podido encontrar ninguna relación entre los alimentos genéticamente modificados y efectos adversos en la salud, este trabajo sobre la patata se sigue citando una y otra vez en la comunidad contraria a los alimentos GM, y presentando al Dr Pusztai como un héroe y un mártir injustamente tratado.

Esta debacle, de la que pocos individuos y organizaciones salieron bien librados, demuestra el daño que puede hacerle a una tecnología emergente una conclusión catastrofista prematura basada en unos datos insuficientes o defectuosos. No contribuyó precisamente a reparar el daño el hecho de que fuese la prestigiosa revista *The Lancet* la que publicase el manuscrito elaborado por el Dr Pusztai.[6] Las conclusiones que extraía de los datos no eran tan extremas como sus anteriores declaraciones en televisión, pero los críticos opinaron que publicando su artículo la revista estaba echando leña a un fuego que ya estaba fuera de control. La revista replicó que negarse a publicar el artículo habría sido una forma de ejercer la censura, y al parecer decidió confiar en las propiedades autocorrectoras del progreso científico.

Y vaya si tiene fe en este precepto la revista *The Lancet*. Posiblemente se trata de una fe más bien ingenua y fuera de lugar, desgraciadamente, pues sus editores parecieron olvidar que la ciencia errónea pero 'fascinante' puede sobrevivir mucho más tiempo en la psique colectiva que la buena ciencia aburrida que se limita a corregirla. Digo esto porque fue *The Lancet* la que en 1998 publicó el manuscrito tristemente célebre de Andrew Wakefield en el que se afirmaba que existía una relación entre el desarrollo del autismo y la vacuna MMR (contra el sarampión, las paperas y la rubéola).[7] Es un trabajo basado en una cantidad bochornosamente escasa de muestras, unas técnicas horrorosas y un terrible conflicto de intereses. Unos análisis cuantitativamente enormes basados en cientos de miles de niños de todo el mundo han demostrado inequívocamente que no hay ninguna relación entre el autismo y la vacuna MMR.[8] Doce años después de su publicación (¡doce años!), *The Lancet* publicó finalmente una retractación.

Pero si el lector entra en internet no tardará ni diez segundos en encontrar varios sitios web que continúan denunciando las vacunaciones como causa de autismo. La vacunación contra las enfermedades infantiles ha sido probablemente la medida sanitaria más innovadora y de mayor impacto en la salud de los últimos cien años, y un solo trabajo inoportuno y erróneamente publicado ha socavado sus efectos positivos. El año 2017 más de 20.000 personas en Europa tuvieron el sarampión, con 35 muertes registradas, y la Organización Mundial de la Salud ha atribuido este hecho a las personas que se negaron a que les administrasen la vacuna.[9]

Este es el motivo de que la comunidad científica pasase por encima del artículo original que afirmaba que la edición genética había llevado a cientos de cambios inesperados en el genoma diferentes de los previstos. Y no fue porque no les gustase el mensaje. Fue porque creyeron que los experimentos realizados eran de mala calidad y las conclusiones de ellos extraídas eran científicamente inapropiadas. Y también sabían por experiencia hasta qué punto todo un campo científico puede verse contaminado y perjudicado si una idea inapropiada se impone.

Un arma de doble filo

Nada de esto significa, sin embargo, que la edición genética haya de tener un cheque en blanco por lo que respecta al problema de la seguridad, especialmente a la hora de utilizarla con finalidades terapéuticas en humanos. Hay un área potencialmente problemática que en este momento está siendo objeto de intensa investigación.

p53 puede parecer el nombre de una línea de autobús suburbana, pero en realidad es una de las proteínas más importantes que contienen nuestras células, especialmente si pensamos en la existencia del cáncer. La p53 se conoce a veces, de una forma un tanto grandilocuente, como "el guardián del genoma". De hecho, no es una mala descripción. El ADN de nuestras células está siendo constantemente atacado por diversos factores que pueden dañarlo, como una radiación o determinadas sustancias químicas. Si es reparado incorrectamente, estos cambios pueden producir mutaciones que en algunos casos pueden llevar eventualmente al cáncer. Para el organismo es a menudo más seguro exterminar a las células dañadas, y aquí es donde interviene la proteína p53, básicamente desencadenando una respuesta celular suicida. Si la p53 está ausente o inactiva en una célula, dicha célula tiende a acumular muchas mutaciones. Esta falta de una p53 funcional, y la consiguiente acumulación de mutaciones, es la característica distintiva de muchos cánceres.

El problema potencial al que hacía referencia más arriba es que uno de los acontecimientos que tienen lugar en una célula durante la edición genética es básicamente que se corta, es decir, se daña el ADN. La maquinaria celular no tiene forma de 'saber' que esto es algo que estamos tratando deliberadamente de hacer. Y desencadena exactamente la misma respuesta de limitación de daños que cualquier otra forma de daño al ADN, particularmente la activación de la respuesta p53.

Este podría ser el motivo de que el porcentaje de células exitosamente editadas en cualquier experimento está a menudo considerablemente por debajo del 100%. Es posible que las células que no son editadas con éxito sean simplemente demasiado buenas en la prevención de daños al ADN, porque su p53 funciona realmente bien.

El año 2018 dos equipos de investigación mostraron de forma independiente que la eficiencia de la edición genética estaba efectivamente influida por la actividad de la maquinaria propia de la proteína p53.[10, 11] Esto llevó a una hipótesis inquietante. ¿Y si las células que se dejaban editar más eficazmente eran aquellas en las que la actividad de la p53 era parcialmente defectuosa? Esto probablemente no sea muy importante en la mayoría de situaciones experimentales. Pero por supuesto que importa si lo que queremos hacer es introducir estas células en el cuerpo de un paciente humano. En este contexto, lo que se hace es editar una población de células y seleccionar aquellas en las que el proceso de edición se ha realizado con éxito. Luego se inyectan dichas células en un receptor humano. Pero ¿y si el motivo de que la edición funcione en esas células es porque tienen un sistema p53 defectuoso? En ese caso habremos dado artificialmente prioridad a aquellas células con el sistema defectuoso y habremos elegido introducirlas en el cuerpo de un paciente con preferencia a aquellas células en las que el sistema p53 es perfectamente funcional. Básicamente, podríamos estar infectando al paciente con una población de células que están un poco más cerca que las otras de convertirse en cancerosas.

Los autores de estas dos publicaciones clave puntualizaron de manera muy responsable que en este momento esta es tan solo una posibilidad teórica. Esto se aplica igualmente a subclases particulares de edición genética en las que el objetivo es corregir un gen defectuoso, y no tanto simplemente suprimirlo.

Realmente es muy útil que comprendamos que puede existir una relación entre la eficiencia de la edición genética y la presencia o ausencia de la p53. Esto nos ayudaría a planificar mejor los experimentos y a ponderar el nivel de seguridad a largo plazo de la tecnología a la hora de utilizarla como tratamiento de alguna enfermedad. Podemos desarrollar y comprobar hipótesis, y controlar que las células que utilizamos para reimplantarlas en humanos tienen un sistema p53 intacto.

Hasta aquí muy bien. A menos que se sea una empresa especializada en edición genética y que cotiza oficialmente en bolsa. El precio de las acciones de las empresas que desarrollan las formas más avanzadas de esta tecnología para tratar enfermedades humanas cayó entre un 5 y un 13% a medida que se propagaban las noticias sobre esta cuestión.[12]

El temor que provocó la historia de la p53 en el mercado bursátil fue en cierto modo bastante irónico, pues una de las áreas terapéuticas en las que la edición genética es probable que tenga un mayor impacto es en el tratamiento y en la curación del cáncer. Esto es debido a una nueva terapia que está produciendo resultados asombrosos en determinados tipos de tumor. En este enfoque, los científicos extraen un tipo especializado de célula inmune del paciente de cáncer. Luego usan técnicas de modificación genética para modificar la célula de modo que pueda atacar al cáncer y destruirlo. En un ensayo de 2015 sobre el cáncer infantil, 27 de 30 pacientes se libraron del cáncer después de este tratamiento.[13] Eran niños que no habían respondido a ninguno de los otros tratamientos disponibles. Este nivel de respuesta es casi inaudito en oncología.

Teniendo en cuenta lo eficaz que es la edición genética para crear modificaciones en el ADN, no tiene nada de sorprendente que actualmente se esté adaptando para crear las células inmunes específicas de cada paciente para este enfoque. Tanto la comunidad académica como la industrial están explorando incondicionalmente esta posibilidad.[14]

La ciencia es transparente, el dinero no tanto

Laboratorios de todo el mundo están explorando el potencial de la edición genética en una vertiginosa colección de estados patológicos. A un niño de siete años con una demoledora enfermedad bullosa de la piel ya le han reemplazado totalmente la epidermis utilizando una versión más antigua de modificación genética,[15] y la edición genética se utilizará casi con toda seguridad para expandir esta aplicación. Se está avanzando mucho en la adaptación de la nueva tecnología para tratar una enfermedad degenerativa llamada distrofia muscular de Duchenne[16, 17] y la enfermedad neurodegenerativa llamada enfermedad de Huntington.[18] Hay familias con un alto riesgo de sufrir ataques coronarios y embolias debido a que no pueden controlar los niveles de colesterol en la sangre y a que eran insensibles a las estatinas que son el tipo de droga más utilizada en la prevención de enfermedades cardiovasculares. Resultados preliminares utilizando la edición genética en modelos animales han sido alentadores.[19]

Todas estas son enfermedades de las que sabemos que en ellas los pacientes se enfrentan a una vida llena de sufrimientos, a una muerte prematura o a ambas cosas. Es muy probable que la edición genética proporcione la primera oportunidad de un tratamiento efectivo –e incluso una cura– que habrán tenido nunca estos enfermos y sus familias. Es improbable que el principal obstáculo que encontrará la aplicación de esta tecnología sea de tipo puramente técnico. Es mucho más probable que sea de tipo económico. A menos que encontremos la manera de reducir mucho los costes del desarrollo de medicamentos (y la edición genética en humanos es esencialmente una forma muy nueva de medicamento) puede que estas terapias nunca estén al alcance de las personas que las necesitan. La economía de la salud es un asunto extraordinariamente complejo, y está muy relacionado con la ética de la práctica médica. ¿Quién tiene derecho a decidir cuándo una cosa 'cara' es 'demasiado cara'? Pero los dilemas éticos consistentes en decidir si hemos de tratar o no determinadas enfermedades en las personas una vez que han nacido son verdaderas minucias comparadas con un tema mucho más trascendente: ¿hemos de intervenir genéticamente en el momento de la concepción, si con ello cambiamos el genoma para toda la eternidad?

7

Cambiar el genoma para siempre

Cuando nos planteamos tratar a alguien de una enfermedad, nos referimos normalmente a un tratamiento post-natal. La intervención puede empezar casi inmediatamente después del nacimiento. En el Reino Unido, todos los bebés de cinco días de edad son elegibles para una cosa llamada la "prueba del talón".[1] Básicamente, consiste en sacar cuatro gotas de sangre pinchando al bebé en el talón con una aguja. Estas cuatro gotas son suficientes para averiguar si el bebé padece alguna de nueve enfermedades raras: la anemia falciforme, la fibrosis quística, una deficiencia hormonal y otras seis enfermedades por culpa de las cuales el bebé no podrá metabolizar adecuadamente determinadas sustancias químicas. Si los profesionales de la medicina tienen un conocimiento temprano en la vida del bebé de que padece alguna de estas enfermedades pueden intervenir de diversas maneras para incrementar sus probabilidades de sobrevivir y para que puedan tener una mejor calidad de vida. Los niños con fibrosis quística son muy propensos a tener unas terribles infecciones pulmonares, por lo que un tratamiento temprano con antibióticos puede representar la diferencia entre la vida y la muerte. Los niños con hipotiroidismo congénito no crecen bien y corren el riesgo de tener problemas de aprendizaje. Esto puede prevenirse administrándoles una hormona clave de la que carecen.

A veces la intervención no requiere la administración de ningún tipo de drogas. Uno de cada 10.000 niños en el Reino Unido nace con una enfermedad llamada fenilquetonuria (PKU). Las personas con este trastorno no pueden descomponer uno de los aminoácidos que se encuentran en las proteínas, de modo que este se acumula a niveles tóxicos en el cerebro y en la sangre. Cuando todavía no conocíamos la causa de esta enfermedad, no podíamos hacer pruebas para detectarla y los niños afectados crecían con problemas cognitivos y de conducta y otros síntomas cómo vómitos recurrentes y epilepsia. Actualmente, los niños afectados son identificados poco después de nacer y pueden ser sometidos a una dieta baja en proteínas, más unos suplementos de los otros aminoácidos que necesitan. Ateniéndose a este régimen y evitando los productos artificialmente endulzados que contienen aspartamo (un edulcorante que una vez en el cuerpo se convierte en el aminoácido problemático), es posible subsanar completamente los síntomas clínicos asociados con esta enfermedad genética.

A medida que nos hacemos mayores, todos tendemos a tomar más fármacos. Los analgésicos, los anticonceptivos orales, los antibióticos, los antihistamínicos y las terapias de sustitución hormonal son los más comunes. Incluso las personas que tienen la suerte de envejecer manteniéndose esencialmente sanos puede que tengan que tomar estatinas, dosis bajas de esteroides y drogas para subsanar la disfunción eréctil. También es posible que necesitemos tomar otras drogas: antidepresivos, insulina para la diabetes, anticuerpos para tratar la artritis reumatoide y diversos compuestos para curar o controlar el cáncer.

Sean cuales sean las drogas que tomemos, y la razón por la que lo hagamos, todas ellas tienen una cosa en común.

Están diseñadas para interferir en la acción de las proteínas en determinados trayectos patológicos no regulados, o para sustituir a aquellas proteínas que ya no se expresan a niveles suficientes para hacer su trabajo. Para lo que no están diseñadas estas drogas es para cambiar el ADN del individuo.

De hecho, se hacen muchos esfuerzos para asegurarse de que estas drogas dejan tranquilo al ADN. Todas las nuevas drogas son examinadas durante su elaboración, y aquellas que pueden provocar cambios en el ADN –mutaciones– ven muy reducido su nivel de prioridad. Uno de los motivos de ello es minimizar el riesgo de que las drogas creen cambios mutacionales potencialmente carcinogénicos en la persona tratada. Otro es asegurarse de que no provoquen mutaciones en las células germinales, las que producen óvulos y espermatozoides. Actualmente es muy raro que se autorice ninguna droga o fármaco susceptible de causar mutaciones en las células germinales.

Si una droga induce mutaciones en las células germinales, estas mutaciones pueden impedir que óvulos y espermatozoides se desarrollen normalmente y hacer que se produzcan potencialmente problemas de infertilidad. Pero igual de preocupante es que la mutación se produzca en un óvulo o un espermatozoide que seguirán su desarrollo hasta convertirse en parte de un nuevo individuo. Si esto se produce, la nueva persona poseerá la mutación en todas las células de su cuerpo y la transmitirá también a todos sus descendientes.

Este tipo de cambios en el ADN se está produciendo en realidad todo el tiempo, incluso en aquellas personas que nunca toman ningún medicamento. Aunque las células germinales poseen mecanismos bastante rigurosos para controlar las mutaciones, es inevitable que estas se produzcan. Ello se debe en parte a factores medioambientales y también porque hay muchos acontecimientos complejos del ADN que tienen lugar durante el desarrollo de óvulos y esperma. Cuanto más complejo es un fenómeno, mayor es la probabilidad de que algo falle algunas veces. Y si pensamos que los hombres producen aproximadamente 1.500 espermatozoides cada segundo,[2] la posibilidad de que se introduzcan cambios en el genoma es obvia.

Así, cuando los científicos tratan de crear nuevas drogas, están tratando normalmente de asegurarse de que no elevan el índice de mutación significativamente por encima del nivel de base existente.

La edición genética para tratar enfermedades humanas es en cierto modo la antítesis completa de casi todos los descubrimientos de drogas hasta la fecha. En la edición genética, el objetivo es absolutamente cambiar la secuencia de ADN, si bien de una manera muy controlada y concreta. En el capítulo 6 hemos descrito cómo este hecho podía explotarse para tratar una serie de trastornos para los que las opciones terapéuticas son inadecuadas o inexistentes. Si estos enfoques tienen éxito, es poco probable que tengan efectos significativos en las células germinales. En el caso de la anemia falciforme, la edición genética tendrá lugar fuera del cuerpo, y los progenitores sanguíneos serán reintroducidos en la médula ósea. En el caso de un trastorno como la distrofia muscular de Duchenne es probable que los reactivos de la edición genética se dirijan directamente a los músculos. El individuo afectado será tratado cambiando su ADN, pero esto será solamente lo que llamamos un cambio somático en su genoma que afectará a determinadas células de su cuerpo y dejará tranquila a la línea germinal.

Pero por primera vez en nuestra historia podemos contemplar un futuro en el que podremos utilizar la tecnología para cambiar el ADN de cada célula en un cuerpo humano. En este caso, el individuo tratado pasará esta mutación introducida deliberadamente a sus hijos. ¿Por qué íbamos simplemente a contemplar esta posibilidad?

Una necesidad imperiosa

La mayor parte del debate en torno a la edición genética de la línea germinal tiene que ver con la creación de unos super seres con unos genomas mejorados que les hacen ser más altos, más rápidos y más atractivos. En realidad conocemos muy poco respecto a las bases genéticas de estos rasgos, y lo que sabemos sugiere que será muy difícil mejorar a los humanos de este modo. Esto es así porque la mayor parte de estos rasgos están influidos por un gran número de variantes genéticas interrrelacionadas, cada una de las cuales contribuye solamente a una pequeña proporción del resultado final, y simplemente no es factible editar un número suficiente de ellas para marcar la diferencia.

El coste y la complejidad de la edición genética también significa que es poco probable que veamos esta tecnología empleada de modo que los padres puedan asegurarse de que sus hijos serán rubios y de ojos azules. O negros y pelirrojos, o cualquier otra combinación que se les ocurra.

Pero hay situaciones en las que simples variaciones discretas en el genoma humano tienen un efecto enorme y predecible en el individuo afectado, y estos efectos son altamente patológicos. Y es en este punto donde está realmente el debate acerca de la modificación de la línea germinal.

El síndrome de Lesch-Nyhan es una enfermedad genética cuyos síntomas son tan severos y atroces que resultan casi incomprensibles. Los chicos (porque son casi exclusivamente chicos los afectados) sufren unos terribles dolores articulares y sus riñones no desempeñan bien su función, por lo que un compuesto llamado ácido úrico se deposita a niveles muy elevados en varias partes de su cuerpo. La deposición en las articulaciones es el mismo proceso que se da en la gota, que normalmente afecta a adultos. Los adultos que tienen gota afirman que el dolor que provoca es el más atroz imaginable. Imaginen, pues, lo que ha de ser para un niño.

De manera trágica, esto no es lo peor que les pasa a los niños con el síndrome de Lesch-Nyhan. También desarrollan una serie de conductas neurológicas perjudiciales, la más perturbadora de las cuales es la automutilación, con profundas heridas de mordidas en extremidades y labios. Para evitarlo, aproximadamente un 75% de los niños que tienen este síndrome están físicamente atados casi todo el tiempo, a menudo por propia petición.

Los niños afectados raramente sobreviven más allá de la adolescencia. La causa más común de muerte es el mal funcionamiento del riñón debido a los depósitos de ácido úrico. Los efectos en el riñón son los más fáciles de controlar, y esto ha introducido un dilema ético desgarrador para las familias y los médicos de estos niños. ¿Es ético tratar los problemas renales y prolongar la vida de estos niños cuando, para muchos de ellos, esto significará una vida de terribles dolores físicos?

Incluso con todas las herramientas que se están desarrollando para la edición genética, será increiblemente difícil corregir el defecto genético en el cerebro de estos niños. Es sumamente difícil introducir drogas u otros agentes en el tejido cerebral, pues el cerebro tiene barreras específicas para impedir la 'contaminación' del resto del cuerpo. Es probable que las neuronas sean el tipo de células cerebrales en las que necesitaríamos realmente llevar a cabo la edición genética. Pero las neuronas son células que no se dividen, y la eficacia de la edición genética tiende a ser muy reducida en este tipo de células. Este es un gran problema si consideramos que hay unos cien mil millones de neuronas en el cerebro. Tampoco podemos estar seguros de cuándo el daño neurológico se vuelve irreversible, por lo que desconocemos qué ventana temporal de oportunidad tenemos para llevar a cabo la edición genética.

Si supiéramos que una pareja corre el riesgo de tener un hijo con el síndrome de Lesch-Nyham, ¿no sería mejor intervenir lo antes posible para que los síntomas no llegaran a manifestarse? Lo ideal sería intervenir en la primerísima etapa de la vida, cuando solamente hay una célula. ¿Por qué no corregir la secuencia mutante de ADN en el cigoto, esta célula extraordinariamente singular formada por la fusión de un óvulo y un espermatozoide que eventualmente da lugar a los 70 billones de células del cuerpo humano?

No sería solo en la enfermedad de Lesch-Nyham donde podría aplicarse esta técnica. En la enfermedad de Huntington, la presencia de una mutación específica lleva a una neurodegeneración letal. Aunque a veces esta se produce en la infancia, lo más común es que los síntomas no aparezcan hasta la edad adulta tardía. Frecuentemente, en esta etapa la persona afectada ya ha tenido hijos, y además de saber que ellos mismos se enfrentan a una decadencia horrible y profundamente perturbadora, también saben que cada uno de sus hijos tiene un 50% de probabilidades de haber heredado esta bomba de relojería genética.

Una vez en conocimiento de los médicos que la enfermedad de Huntington está presente en una familia, ¿no sería estupendo que pudiesen proceder a la edición genética de los cigotos para garantizar que la mutación no será transmitida? Por cada cigoto editado que se implantase y se desarrollase hasta convertirse en un nuevo ser humano, la edición genética frenaría la aparición de una enfermedad devastadora en esta parte del árbol familiar.

En un mundo en el que la edición genética nos da la posibilidad de prevenir unas enfermedades terribles antes incluso de que se desarrollen, ¿acaso no ha cambiado el paradigma ético? ¿No nos encontramos ya en una situación en la que éticamente no tenemos que justificar por qué hacemos algo? ¿No tendríamos mejor que justificar por qué no intervenimos?

Pensar antes de actuar

¿Cuán cerca estamos realmente de poder llevar a cabo este tipo de edición genética de la línea germinal en la que podremos cambiar las secuencias de ADN de todas las células del cuerpo humano, y de todas las células de los descendientes de la persona individual editada? La respuesta en este momento es que probablemente no estamos tan cerca de poder hacerlo como podríamos pensar.

Este enfoque requerirá que utilicemos la tecnología de la fecundación *in vitro* (IVF). Muchos laboratorios y clínicas de todo el mundo pueden utilizar esta tecnología para fusionar un óvulo y un espermatozoide y crear de este modo un cigoto. Dicho cigoto es normalmente cultivado en un laboratorio para un determinado número de divisiones célulares hasta ser posteriormente implantado en el útero de una mujer. Teóricamente es perfectamente posible utilizar la edición genética para cambiar el ADN de un cigoto. Pero lo ideal sería poder comprobar que la edición ha realmente funcionado antes de insertar el resultado de este procedimiento en el útero de la futura madre. Y la única forma de comprobar si ha funcionado requiere destruir el cigoto.

Tal vez podríamos dejar que el cigoto experimente unas cuantas rondas de división celular y luego extraer un pequeño número de células, preferiblemente de la parte del embrión temprano que generará la placenta. Sabemos ya que los embriones pueden sobrevivir a un procedimiento de este tipo. Luego podríamos comprobar en las células del embrión si la edición genética ha tenido lugar correctamente. Pero aquí hemos de dar por supuesto que hemos editado el cigoto en el momento exacto, para que todas las copias de ADN que se creen sean idénticas. En caso contrario, correríamos el riesgo de implantar embriones con una mezcla de células editadas y de células sin editar y el resultado clínico que obtendríamos podría no ser el deseado.

Ahora mismo no es posible tener una confianza del cien por cien respecto a la hipótesis según la cual un subconjunto de las células del embrión será representativo del embrión entero, por lo que no es probable que la edición genética de la línea germinal humana pueda seguir adelante de manera inmediata. La investigación realizada con otras especies mamíferas ha sido prometedora, pero no sabemos hasta qué punto esto es representativo del desarrollo embriológico humano. En el Reino Unido también hay una moratoria para trabajar con embriones humanos de más de catorce días de edad, por lo que los científicos británicos están limitados respecto al tiempo que pueden supervisar a un embrión en el laboratorio, lo que hace difícil evaluar las consecuencias de la edición genética. Hay unos cuantos países en los que incluso este nivel de experimentación sería increíblemente difícil dentro de los marcos reguladores existentes, por lo que el progreso en este campo será lento.

Es altamente probable que a medida que las tecnologías para la edición genética maduren y se vuelvan más efectivas y más previsibles podamos desarrollar confianza en torno a los problemas derivados de extrapolar a partir de unas cuantas células al embrión entero. Pero dadas las limitaciones sobre la investigación en las que se utilizan embriones humanos, puede que pasen muchos años antes de que veamos este enfoque terapéuticamente. Pero su potencial es tan evidente que es casi inevitable que una intervención terapéutica que utilice modificaciones en la línea germinal mediante la edición de óvulos, espermatozoos, cigotos o embriones tempranos acabe llevándose a cabo. Pero no son solo los científicos los que se están preparando para esto. En preparación de este probable futuro, estamos viendo una colaboración cada vez mayor entre científicos, abogados, filósofos y expertos en ética para identificar, articular y hacer recomendaciones respecto a los problemas éticos y morales relativos a esta intervención sin precedentes en el guión genético de nuestra especie.

Estad preparados

Puede parecer extraño que varias organizaciones estén poniendo un esfuerzo importante en algo que en este momento es solo hipotético. Pero hay muy buenos motivos para tener esta conversación ahora, tanto entre los expertos en los campos relevantes como en un sentido más amplio, en la comunidad en general e incluso en la opinión pública.[3]

Una de las razones es que no podemos predecir con exactitud cuánto tiempo pasará antes de que esta tecnología se considere lo suficientemente madura para que algún grupo intente llevar a cabo una modificación en la línea germinal humana. Los marcos ético y legal raramente se desarrollan mejor cuando se crean bajo presión y con urgencia, por lo que es importante que los problemas se consideren mucho antes de que sean implementados.

Otra razón es que las consideraciones éticas y legales influirán realmente en las investigaciones que puedan llevarse a cabo y en las direcciones en que procederán. Idealmente, la ética no debería avanzar rezagada respecto a los progresos científicos; ambas deberían progresar al mismo tiempo e informarse mutuamente.

También es tentador pensar que la edición genética de la línea germinal será tan rara que no necesitamos realmente preocuparnos, pues cada caso podrá tratarse individualmente. Pero hemos de ser muy cuidadosos con este tipo de supuestos. La historia de las intervenciones médicas dice que si son efectivas a menudo se propagan de manera considerable. La fertilización in vitro parecía un procedimiento extraordinariamente especializado cuando nació el primer 'bebé probeta' en 1978, pero otros cinco millones de bebés, aproximadamente, han nacido en los 40 años transcurridos desde entonces.

También cabe confiar en que discutir abiertamente las implicaciones éticas y legales de la edición genética de la línea germinal humana aumentará las probabilidades de desarrollar marcos que sean coherentes independientemente de las fronteras políticas. Las inconsistencias entre los sistemas legales de diferentes países pueden llevar a situaciones estrafalarias, y nada ejemplifica esto mejor que el caso del primer bebé nacido con un genoma modificado.

Y este no fue un caso de edición genética, sino la creación de un embrión de tres progenitores. Aproximadamente el

99% del ADN en una célula humana se encuentra en el núcleo. La mitad del mismo la heredamos de nuestra madre y la otra mitad de nuestro padre. Pero aproximadamente un 1% del genoma humano se encuentra en las 1.000 o 2.000 diminutas estructuras subcelulares llamadas mitocondrias. Las mitocondrias son esencialmente las unidades de producción eléctrica de nuestras células, y heredamos el ADN mitocondrial solamente de nuestra madre.

Del mismo modo que las mutaciones en el ADN nuclear pueden provocar enfermedades, las mutaciones en el genoma mitocondrial también pueden causar problemas. Existe una enfermedad rara llamada síndrome de Leigh en la que los niños que la padecen empiezan a desarrollar síntomas durante su primer año de vida. Estos síntomas incluyen retrasos en el crecimiento y una neurodegeneración progresiva con pérdida de las funciones motoras y mentales. Los niños normalmente mueren antes de los tres años de la aparición de la enfermedad. Aproximadamente la quinta parte de los casos documentados de síndrome de Leigh están causados por una mutación en el ADN mitocondrial.[4]

Este fue el caso de una pareja jordana que anhelaba desesperadamente formar una familia. La mujer había tenido cuatro abortos, había dado a luz a una niña afectada que murió a los cinco años y a un niño afectado que murió antes de cumplir su primer año. Las pruebas genéticas que se realizaron demostraron que el ADN mitocondrial de la madre había sufrido una mutación. Aunque ella misma estaba relativamente bien, los niveles de mutación en las 1.000-2.000 mitocondrias que transmitió con sus óvulos habían alcanzado un punto crítico. Todos los embarazos que tuviese tenían muchas probabilidades de acabar en un aborto espontáneo o en un hijo con una enfermedad letal.

El año 2016 la mujer dio a luz a un bebé sano tras seguir un proceso especialmente complejo de fertilización in vitro. El equipo que llevó a cabo el procedimiento extrajo el núcleo del óvulo de una donante con las mitocondrias sanas. Luego le insertaron el núcleo de un óvulo de la mujer cuyas mitocondrias eran mutantes. Esto creó un óvulo híbrido, en el que el ADN nuclear procedía de una mujer y el ADN mitocondrial de otra. El equipo fertilizó el óvulo híbrido utilizando esperma del marido. Este procedimiento se llevó a cabo con varios óvulos, y los fertilizados se cultivaron en el laboratorio. Solo uno de ellos se desarrolló y este embrión masculino fue implantado en la mujer que anhelaba desesperadamente tener un hijo sano.

En este caso, la complejidad no era solo tecnológica o médica. La manipulación del óvulo y la fertilización in vitro con esperma se llevó a cabo en el New Hope Fertility Centre de la ciudad de Nueva York. Esto era perfectamente legal, pero implantar el óvulo en la mujer habría sido una infracción de la ley norteamericana, por lo que la implantación se realizó en México. Aunque las clínicas de fertilidad mexicanas no tienen la experiencia necesaria para llevar a cabo la compleja transferencia de núcleo, tampoco tienen ninguna de las normas o barreras legales para impedir la implantación de un embrión creado con estos procedimientos. Pero como ni los médicos norteamericanos ni los mexicanos dominaban la tecnología ni tenían la experiencia para analizar completamente el embrión antes de implantarlo, esta parte del procedimiento (con la aprobación ética de todos los organismos responsables) se llevó a cabo en el Reino Unido.[5]

Esto es un auténtico lío, y dista mucho de ser lo ideal. El Reino Unido se ha convertido en el primer país que ha cambiado sus regulaciones de modo que un método de fertilización como esta especie de procedimiento con tres progenitores puede llevarse ahora a cabo de principio a fin, y con la supervisión necesaria y adecuada.[6]

Así pues, la técnica de sustitución mitocondrial ha creado un precedente para la modificación de la línea germinal del ADN humano, pues todas las células derivadas de este cigoto de tres padres contendrán el mismo complemento híbrido de ADN de dos genomas nucleares y del mitocondrial. Si los bebés nacidos de esta técnica son niños, este complejo cóctel genético no pasará a la siguiente generación, ya que el ADN mitocondrial se hereda solamente a través de la línea materna. Pero si los bebés son niñas, la barrera contra la transmisión de un genoma deliberadamente alterado en humanos habrá sido irreversiblemente quebrantada. Esto llevará inevitablemente a una mayor presión para ampliar este precedente a la edición genética específica de la línea germinal.

¿Cuál es pues la fuerza impulsora?

¿Por qué existe siquiera la necesidad de editar genéticamente la línea germinal? Una forma de enfocar el tema es hacerlo de un modo numérico. Supongamos que este tipo de edición genética se reserva para aquellos tipos de enfermedad que podríamos llamar enfermedades de un solo gen. Estas son situaciones en las que una mutación en un solo gen es suficiente para causar una enfermedad grave. Cada enfermedad individual es rara. Pero sabemos que hay al menos 10.000 enfermedades humanas causadas por un solo gen. A medida que la secuenciación del ADN y el procesamiento de datos se vuelven más baratos y accesibles, los científicos podrán sin duda identificar incluso más enfermedades. Colectivamente, más del 1% de las personas en todo el mundo están afectadas por una enfermedad causada por un solo gen, por lo que en conjunto pueden representar un problema importante de salud.

Una vez que una enfermedad genética ha sido identificada dentro de una familia hay varias maneras actualmente de asegurarse de que una mujer dé a luz a un hijo que no sea portador de la mutación que la provoca. La más obvia es hacer una prueba prenatal. En esta situación, el embarazo tiene lugar a la vieja manera de dos personas teniendo relaciones sexuales. En cierta fase del embarazo es posible hacer una prueba al feto para determinar si ha heredado la mutación que causa la enfermedad. Si lo ha hecho, la mujer puede decidir interrumpir el embarazo.

Para algunas mujeres de determinadas creencias, como la católica romana o la musulmana, esta puede no ser una opción debido a motivos religiosos. Pero también es una opción dolorosa para muchas mujeres y para sus parejas.*

Otra opción es una variante de la fecundación in vitro, en la que se hacen pruebas a los embriones para seleccionar uno que no esté afectado antes de implantarlo (diagnosis genética pre-implantación).

Pero habrá situaciones raras en las que ninguno de estos enfoques pueda resolver el problema. Tenemos dos copias de la mayoría de nuestros genes, una heredada de nuestra madre y otra heredada de nuestro padre. En algunas enfermedades (conocidas como trastornos genéticos dominantes),

---

* Cuando yo era académica en una escuela de medicina del Reino Unido, uno de los tutoriales de la vida real que estudiábamos era el de una mujer cuyos hijos tenían riesgo de padecer la enfermedad de Huntington. Tuvo diez abortos antes de poder producir un feto que no tuviese este riesgo. Resulta difícil imaginar la angustia que tuvo que pasar esta familia.

si solo una de estas dos copias has mutado, el individuo desarrollará la enfermedad. La enfermedad de Huntington es un ejemplo de esto. En casos raros, una persona afectada con un trastorno dominante puede haber heredado un gen mutado de cada progenitor. Esto significa que tendrán dos copias del gen mutante, y en consecuencia todos sus hijos heredarán una copia y desarrollarán la enfermedad.

Incluso en circunstancias "normales", si alguien tiene un trastorno genéticamente dominante, todos sus hijos tienen un cincuenta por ciento de riesgo de heredar el gen mutado y de desarrollar, en consecuencia, la misma enfermedad. Esta es una probabilidad muy alta y tanto da si la concepción es natural o es por fertilización in vitro; el número de óvulos disponibles para su fertilización por cada mujer es relativamente bajo, y puede fácilmente darse el caso de que todos los embriones contengan la mutación (porque la mujer es portadora del gen anormal o porque todos ellos son fertilizados por esperma que contiene la mutación). Es posible que un pequeño número no la contenga, pero el índice de éxitos de los cultivos de laboratorio, implantación y supervivencia hasta el final están todos en la franja baja. Esta es una de las razones de por qué la edición genética para extirpar la mutación es tan atractiva, porque incrementa el número probable de embriones "normales" y en consecuencia también la probabilidad de un embarazo con éxito.

En aquellas enfermedades conocidas como trastornos genéticos recesivos, los síntomas solo se desarrollan si ambas copias del gen son mutadas. El hijo o hija de dos personas afectadas por un trastorno recesivo tiene que heredar genes mutados de cada padre (porque sus padres no contienen ninguna copia normal) y por ello desarrollará inevitablemente la misma enfermedad. Aunque podría parecer improbable que dos personas afectadas lleguen a conocerse y decidan tener un hijo, hay buenos motivos para que esto pueda suceder. A fin de cuentas, las dos personas comparten experiencias vitales similares como resultado de tener la misma enfermedad. Este tipo de enfermedades a menudo alcanzan sus niveles más altos en poblaciones que tienen una tendencia baja a casarse fuera de su grupo social más próximo, a menudo por motivos religiosos, por lo que habrá un fuerte grado de entendimiento cultural mutuo que puede también aumentar la compatibilidad.

Otra opción para las personas con un riesgo alto de transmitir una enfermedad genética (aparte de no ser padres) es adoptar o utilizar óvulos o esperma de donantes que no sean portadores de la mutación. Pero aquí topamos con un fenómeno llamativo. En general, muchas personas parecen querer un hijo que sea "suyo", un hijo que contenga el material genético de sus padres. Puede que haya un imperativo biológico, profundamente enterrado en el desarrollo cerebral, que determina este deseo. Podría tener sentido desde un punto de vista evolutivo. Pero realmente no sabemos por qué este deseo parece ser tan fuerte, y en muchos casos ni las propias personas que lo tienen saben explicarlo.

Si una persona no puede explicar ni a un nivel emocional ni a un nivel intelectual por qué algo es tan importante para ella, ¿debe realmente la comunidad científica y médica aceptar estos deseos de un modo imperativo? Una reciente evaluación ética llegó a la conclusión de que sí debían aceptarlo, y afirmaba: "Puede que tengamos buenas razones para respetarlos, y es posible que estas razones no sean que se trata de buenos deseos, sino que son deseos de personas a las que, por principio, hemos de respetar."[7]

Consentimiento de los padres y bebés imaginarios

Uno de los conceptos más importantes en la ética médica es el del "consentimiento informado". Existen varias definiciones relacionadas de este concepto, una de las más claras es la siguiente: "proceso por el cual un paciente es informado y entiende el propósito, los beneficios y los potenciales riesgos de una intervención médica o quirúrgica, incluidos los riesgos clínicos, y luego acepta recibir el tratamiento o participar en el ensayo."[8]

La edición genética de la línea germinal de un embrión crea un escenario extraordinariamente complejo desde el punto de vista del consentimiento. Un reflejo automático es asumir que el consentimiento vendrá de la mujer que espera quedar embarazada. Ella es la que se someterá a tratamiento hormonal para inducir la ovulación; sus óvulos son los que serán cosechados y editados; uno o más embriones serán implantados en su útero; estará embarazada durante nueve meses y luego dará a luz. Durante todo este proceso ella es la que corre los riesgos clínicos, por lo que parece natural que sea ella la que dé el consentimiento. En muchos casos en los que está implicada su pareja masculina, podemos anticipar que también él deberá dar su consentimiento al uso de su esperma.

Pero aquí es donde la cosa se complica. La auténtica edición de una línea germinal no le sucederá al padre ni a la madre, sino al hijo cuyo ADN quedará cambiado para siempre, y a las futuras generaciones, y a ellos nadie les pide que den su consentimiento, ni tampoco lo podrían dar. Cuando tiene lugar el procedimiento apenas son una célula o un pequeño paquete de células. ¿Cómo puede uno obtener el consentimiento de alguien que todavía no existe? O lo que es aún más complicado: ¿cómo damos por supuesto el consentimiento por parte de alguien que es posible que nunca llegue a existir? Puede que el embrión no se desarrolle adecuadamente en el laboratorio; puede que se desarrolle bien pero que no llegue a ser implantado en la madre; puede que el embarazo no llegue a buen término.

¿Cómo equilibramos los derechos de una persona posible pero realmente no existente con los derechos de los seres humanos que quieren ser padres de un hijo que es genéticamente suyo pero al que se le niega una característica potencialmente devastadora?

Cui bono?

¿A quién beneficia? Este es a veces el enfoque que se utiliza para ayudarnos a navegar por algunos de los laberintos éticos y científicos que las nuevas tecnologías médicas nos están planteando todo el tiempo. ¿Podemos utilizarlo para hacer frente a los dilemas y paradojas creados por el potencial de la edición genética de la línea germinal?

Para muchos de nosotros, nuestra reacción inmediata puede ser opinar que por supuesto que es bueno reducir la discapacidad y la enfermedad, porque esto reduce el sufrimiento humano. La conclusión aparentemente obvia de esta forma de pensar es que la edición genética de la línea germinal en el caso de las enfermedades graves es indudablemente algo positivo. Pero algunas de las resistencias a esta idea vienen precisamente de algunas de las propias personas discapacitadas. Argumentan que esta conclusión implica que las personas discapacitadas son inferiores a las que no lo son.

Es otra de estas situaciones que es complicada debido a las dificultades que surgen cuando empezamos a extrapolar acerca de personas que no existen y que no existirán. Resulta tentador argumentar que no estamos denigrando al individuo que tiene una discapacidad, que simplemente estamos diciendo que su calidad de vida podría haber sido mejor sin esta discapacidad. Pero el hecho es que no lo sabemos, porque dicha persona no existe. Así que corremos el riesgo de tratar de sopesar los derechos y beneficios para un individuo hipotético en un universo alternativo inexistente.

La Organización Mundial de la Salud ha calculado que hay más de 16 millones de personas en todo el mundo que pueden andar simplemente gracias a las campañas de inmunización que han reducido drásticamente los índices de la poliomielitis. Pero es muy raro que alguien sugiera que la inmunización de la polio debería limitarse porque es incorrecto reducir el número de personas que desarrollan una parálisis. Esto tal vez implica que consideramos de manera diferente determinadas discapacidades en función de cómo y por qué se producen. Pero ¿por qué debería importarnos la causa que produce la discapacidad? ¿Acaso una discapacidad genéticamente determinada es algo 'natural' mientras que una que es el resultado de una infección no lo es? Si es apropiado utilizar la tecnología de la vacuna para reducir la discapacidad, ¿por qué no ha de ser apropiado utilizar la edición genética para obtener el mismo resultado? ¿Es esta otra de las situaciones en que vemos a nuestro propio genoma como algo intensamente personal, en que ponemos en primer plano nuestra posesividad genética?

La cuestión del beneficio –y concretamente del beneficio socialmente entendido– es uno de los principales aspectos de la economía de la salud. En aquellas sociedades en las que las intervenciones médicas están predominantemente regidas por sistemas sanitarios públicos financiados por el estado, la ecuación parece bastante directa. Si los costes de ayudar durante toda su vida a alguien que padece una discapacidad son mayores que los costes de editar genéticamente un embrión y de ofrecer toda la ayuda necesaria en forma de fertilización en vitro a un posible padre, hay un imperativo financiero claro para que el sistema estatal apoye la edición genética. Una lógica similar es de aplicación en los sistemas asistenciales privados que operan mediante modelos de seguros, aunque el carácter económico de estos tiende a ser más exigente para las empresas implicadas. Pero tiene que haber un cierto grado de incomodidad en el hecho de tomar decisiones de carácter ético basándose en la valoración monetaria del coste que tiene la existencia de diferentes personas. Como señala uno de los informes que se han hecho sobre la ética de la edición genética, este enfoque es "el punto de vista paradigmático del movimiento de la eugenesia."[9]*

En el sistema público imperante en el Reino Unido, el acceso a la asistencia sanitaria no se ve afectado por el estatus genético de nadie. Esto es muy diferente del modelo de seguros que impera en Estados Unidos. La edición genética de la línea germinal podría liberar a los individuos editados y a todos sus descendientes de una enorme carga financiera. El problema es que esto podría intensificar aún más las ventajas económicas y la desigualdad social. Es muy probable que solamente las familias con una cantidad considerable de dinero pudiesen acceder a la edición genética de la línea germinal

* La eugenesia se refiere a los movimientos que promulgaban doctrinas sobre la reproducción selectiva de los humanos para promover la acumulación de rasgos positivos y reducir la presencia de rasgos negativos. Se originó en el Reino Unido a mediados del siglo XIX y resurgió varias veces, notablemente en la Alemania nazi.

para favorecer a sus descendientes. Al llegar a la edad adulta, estos individuos editados tendrían probablemente muchas ventajas en términos de salud, acceso al trabajo y disponibilidad de seguros médicos con respecto a aquellos individuos cuyos padres no se hubieran podido permitir acceder a la edición genética.

¿Quién define la discapacidad?

Existe la tendencia a hablar de la discapacidad como si solo hubiese una definición de la misma y una única forma de considerar la situación de cada individuo. La Ley de la Igualdad del Reino Unido del año 2010 afirma que uno está discapacitado "si tiene una deficiencia física o mental que comporta un efecto negativo sustancial y duradero en su capacidad de llevar a cabo las tareas cotidianas normales."[10] Una limitación obvia de esta definición es que no tiene en cuenta el impacto de la tecnología. ¿Lleva usted gafas? Sin ellas, ¿podría usted conducir un coche, cruzar la calle seguro, utilizar un ordenador todo el día? ¿No? Entonces, usted seguramente no se considera discapacitado, porque un artilugio tecnológico le permite realizar sus actividades diarias con normalidad, e incluso hacer una declaración de moda con el tipo de artilugio que utiliza.

Pero si usted es un habitante tremendamente pobre de la República Democrática del Congo o de la zona rural del estado de Mississippi, tener una visión medianamente mala puede menoscabar significativamente sus oportunidades vitales, porque es muy probable que tenga dificultades para hacerse con unas simples gafas correctivas.

Consideraciones de este tipo pueden alejarnos de un modelo estrictamente médico de lo que se entiende por discapacidad y aproximarnos más a un modelo social de la misma. Según este modelo, los individuos están más o menos descapacitados no por una incapacidad intrínseca sino por las barreras socialmente impuestas a las que tienen que hacer frente. Esto puede ser bastante fácil de observar en la práctica. Menos de una cuarta parte de las estaciones de la red de metro de Londres tienen acceso sin escaleras. En la red equivalente de Estocolmo todas lo tienen. Si uno viaja en el metro de Estocolmo puede ver con frecuencia usuarios en silla de ruedas, pero es muy raro ver alguno en el metro de Londres. El acceso al transporte y las oportunidades que abre no están controlados por la discapacidad sino por la infraestructura metropolitana.

Si por lo menos una discapacidad puede ser considerada como un problema social más que como un problema médico, ¿cuáles son las implicaciones de ello para la edición genética de la línea germinal? Aproximadamente un 75 por ciento de los casos de sordera congénita profunda están causados por mutaciones de un solo gen.[11] Muchos de ellos se dan de forma inesperada en una familia en la que ninguno de los dos progenitores está afectado. Pero hay situaciones en las que muchos miembros de una comunidad nacen sordos, porque con el tiempo cada vez más y más sordos van siendo padres juntos y han descubierto que la vida es más fácil para ellos y para sus hijos cuando forman parte de una sociedad similar.

Esta situación es posiblemente más común en el mundo de los sordos que en la mayoría de tipos de discapacidad, y esto se debe en parte a una influencia muy fuerte: la existencia del lenguaje de signos. Igual que el lenguaje hablado, el lenguaje de signos se ha desarrollado repetidamente en diferentes grupos. No hay un número definitivo de lenguajes de signos, pero posiblemente asciende a unos cuantos centenares.[12] Dichos lenguajes son ricos y variados, y actúan como un significante y una característica de un grupo cultural distinto.

Sería perfectamente factible que la edición genética se utilizase para prevenir casos de sordera congénita, 'corrigiendo' la mutación que la causa. Pero si la sordera está íntimamente conectada con el lenguaje de signos, y el lenguaje es un significante cultural, ¿acaso no estaríamos utilizando la edición genética para atacar a un grupo cultural y no tanto para resolver un problema médico? ¿Es esto aceptable?

¿Cuál es la ética de utilizar la edición genética en sentido contrario? El año 2002 una pareja lesbiana de Estados Unidos decidió tener un hijo. Sharon Duchesneau y Candy McCullogh pidieron a un amigo que fuera donante de esperma y él aceptó. El nacimiento del niño desencadenó un gran debate ético, y por una vez el tema no fue el de los derechos reproductivos de las parejas del mismo sexo.

Tanto Sharon Duchesneau como Candy McCullogh eran sordas. El amigo que les donó la esperma era un hombre sordo de una familia en la que la sordera había estado presente durante cinco generaciones. Eligiendo un donante de esperma sordo en dicho entorno, las dos mujeres habían incrementado la probabilidad de que su hijo fuese sordo como sus madres. No estaba garantizado, pero existía una probabilidad mucho más alta de que lo fuera que si hubiesen utilizado la esperma de un donante que no fuese sordo. Y efectivamente, su hijo nació sordo.

Las madres justificaron su decisión: "En una entrevista con el *Washington Post* declararon que serían mejores madres de un hijo sordo. Estaban convencidas de que podrían entender de manera más completa el desarrollo del niño y que podrían ofrecerle una orientación mejor, y opinaban que su elección no difería tanto del hecho de optar por un determinado género. También decían que pertenecían a una generación que consideraba la sordera no como una discapacidad sino como un rasgo de identidad cultural.[13]

El apoyo y la condena fueron instantáneos. Había comentadores sordos a favor y en contra, y lo mismo en el caso de las personas que no eran sordas. ¿Era esto una pendiente resbaladiza que llevaba directamente a niños de diseño o una decisión pragmática para facilitar la comunicación con su hijo? ¿Era la negación de un potencial pleno o la bienvenida a una comunidad cultural? ¿Un abuso de poder o un no argumento acerca de un hipotético niño no sordo que no existe ni existirá jamás?

Naturalmente, aquellas dos mujeres eran libres de procrear con quienquiera que ellas quisieran, y no había intervención médica alguna, por lo que no había motivos para que un comité de ética o un comité regulador metiera las manos en el asunto (probablemente con satisfacción por no tener que hacerlo). Pero del mismo modo que utilizando la edición genética es posible 'corregir' una mutación que provoca sordera, es igual de fácil introducir la mutación en un embrión que no la posea. Lo que nos lleva de nuevo a los problemas éticos que antes hemos planteado. ¿Quién tiene derechos aquí? ¿El niño que nacerá, el niño hipotético que no existirá, o los progenitores?

Puede que no tengamos que hacer frente de forma inmediata a este problema concreto en el mundo de la edición genética intervencionista. Pero con toda seguridad tendremos que hacerle frente un día u otro.

8

¿Seguirá el dominio del hombre?[1]

¿Cuál es el animal más mortífero del planeta, es decir, el que causa más muertes humanas? Esta es una pregunta habitual en muchos concursos y también en cuestionarios escolares. Tiburones, leones y serpientes ocupan los lugares más altos en la lista de suposiciones de muchas personas. La última es una buena conjetura porque, de hecho, las mordeduras de serpiente provocan cientos de miles de muertes cada año.[2] Tiburones y leones, por otro lado, solo son responsables de unas decenas de muertes anuales.

Pero el animal más mortífero no es ninguno de estos tres. Es el mosquito. Cada año mueren en el mundo unas 750.000 personas a causa de una picadura de esas 'pequeñas moscas.'[3] Naturalmente, a diferencia de las serpientes, los leones y los tiburones, no es el propio mosquito el que nos mata. A nadie le ha arrancado nunca un brazo o una pierna de un bocado uno de estos irritantes zumbadores. La razón de que los mosquitos sean tan mortíferos se debe a las enfermedades que transmiten.

Al propio mosquito no le interesan las enfermedades. Él simplemente hace de portador y la enfermedad va en el paquete que porta. Es la hembra del mosquito la que propaga las enfermedades. Cuando los óvulos se están desarrollando en su cuerpo, la hembra necesita una serie de nutrientes para alimentarlos. La mejor fuente de estos nutrientes es la sangre, y desgraciadamente para nosotros, la sangre humana es la preferida de determinadas especies de mosquito particularmente molestas.

Cuando un mosquito chupa la sangre de una persona infectada con determinados microorganismos causantes de enfermedades ingiere a estas criaturas como parte de la comida. Las criaturas se multiplican y se desarrollan en su interior, y encuentran un entorno muy acogedor en sus glándulas salivales. Cuando vuelve a comer, esta vez en un humano diferente, transmite los patógenos con su saliva.

La carga creada mediante este proceso en la salud humana es muy pesada. Los mosquitos transmiten cuatro organismos relacionados, todos los cuales causan varias formas de malaria. El año 2016 hubo 216 millones de casos de malaria y 445.000 muertes, el 90 por ciento de las cuales en el África subsahariana.[4] La malaria no es la única enfermedad que utilizan los mosquitos como 'sistema postal'. Lo mismo vale para el dengue, que infecta a cien millones de personas en todo el mundo, cientos de miles de las cuales progresan hacia una forma hemorrágica caracterizada por la aparición de un gran número de hematomas y pérdida de sangre. El índice de mortalidad de esta versión extrema del dengue es de un 5%, lo que se traduce en miles de muertes. La fiebre amarilla y el virus Zika pueden, además, propagarse sexualmente.[5]

En una respuesta muy rápida a una crisis sanitaria relativamente nueva ya están en marcha los ensayos clínicos para la preparación de una vacuna para combatir el virus Zika. Si bien todo el mundo confía en que esta nueva vacuna será eficaz, no existe el mismo nivel de optimismo respecto a la inmunización contra la malaria. Pese a décadas de investigación está demostrando ser increíblemente difícil desarrollar vacunas para protegernos de esta enfermedad. El organismo unicelular que causa esta enfermedad tiene unos ciclos vitales muy complejos que lo convierten en unos oponentes muy difíciles. En consecuencia, la mayoría de esfuerzos para controlar la propagación de la malaria se han centrado en la prevención. Estas técnicas incluyen medidas relativamente simples como redes impregnadas de insecticida para cubrir las camas y proteger a los durmientes, dado que los mosquitos son particularmente activos de noche.

Estos insectos prosperan en entornos cálidos y húmedos porque ponen los huevos allí donde encuentran agua estancada. Los enfoques comunitarios para prevenir la propagación de las enfermedades de las que son portadores los mosquitos a menudo incluyen cosas como eliminar estos sitios de cría, que pueden ser tan inocuos como la tapa de un cubo de la basura que haya quedado al revés en el suelo y que se haya llenado de agua de lluvia.

Estas estrategias de prevención parecen haberse estancado en cuanto a su efectividad, porque los índices de malaria han dejado de reducirse. Son varios los motivos que lo explican, muchos de los cuales se deben a la complejidad de llevar a cabo campañas sanitarias duraderas y efectivas que puedan hacerse de manera sostenida en algunas de las comunidades más pobres del mundo. Conflictos y guerras civiles importantes impiden de manera espectacular progresar en este sentido. Los cambios producidos en los sistemas meteorológicos del planeta como consecuencia del cambio climático tendrán como resultado con toda seguridad un incremento del área de acción de los mosquitos y de su carga patológica. Es necesario encontrar un nuevo enfoque, y hay que encontrarlo pronto.

Un mosquito muy amistoso

Aunque eso de "mosquito muy amistoso" parece el título de una continuación del libro de Eric Carle, *La oruga muy hambrienta*, en realidad es una marca registrada por una empresa llamada Oxitec. Es el nombre de una especie genéticamente modificada de una forma concreta de una especie de mosquito, la que propaga los patógenos que causan el dengue, el Zika y la fiebre amarilla.[6]

El año 2002, Oxitec produjo los primeros Mosquitos Amistosos. Estos mosquitos han sido genéticamente modificados para que contengan un gen suicida. Cuando es activado, este gen suicida perturba la actividad de las células del insecto y le provoca la muerte. Con buen criterio, la empresa no bautizó a aquellos bichos genéticamente modificados con un nombre tan estúpido como "Mosquitos Suicidas". Lo peor que puede hacer una empresa que se dedica a vender un producto genéticamente modificado es ponerle un nombre alarmante.

La empresa produce actualmente estos mosquitos modificados a millones, criándolos en el laboratorio. Estos insectos han sido liberados en una serie de lugares en los que había habido brotes de enfermedades importantes. En un área concreta de las Islas Caimán, por ejemplo, se liberaron ocho millones de mosquitos.

Los mosquitos que se liberan en estas cantidades son todos machos. Una vez libres hacen lo mismo que hacen todos los mosquitos macho: tratar de encontrar mosquitos hembra con las que aparearse. Y si lo logran, todos los mosquitos resultantes del apareamiento contienen el gen suicida. Este gen, al expresarse, provoca la acumulación en el cuerpo del mosquito de una toxina letal, y todas las crías mueren en una fase larvaria inmadura o en la fase pupal. Los resultados obtenidos en las Islas Caimán han sido muy alentadores. Después de soltar a varios mosquitos mutantes, el número de huevos detectados en una temporada se redujo en un 88 por ciento, y el número de mosquitos portadores del virus un 62 por ciento.

Estos pequeños insectos genéticamente modificados son una solución tecnológica muy elegante, por varias razones. Además del gen suicida, los mosquitos también transmiten un gen que codifica una proteína fluorescente. Los investigadores de campo pueden utilizar la fluorescencia para identificar aquellos especímenes que han heredado el material genético. El propio gen suicida ha sido introducido en el genoma como parte de un bucle de retroalimentación positivo. Una vez que se activa el gen suicida, impulsa la intensificación de su propia expresión. Esto significa que la toxina alcanza muy rápidamente niveles letales.

La parte más hermosa de esta tecnología es la que resuelve un problema básico. Si el gen suicida es letal, ¿por qué no mueren los machos a causa del mismo antes de llegar a la edad adulta y ser liberados para que arruinen el deseo de maternidad de sus compañeras de especie? La razón es porque la empresa que cría a estos millones de mosquitos macho puede controlar lo que comen. Y lo que hace es suplementarles la comida con un antibiótico llamado tetraciclina. Este antibiótico se liga al gen suicida y lo desactiva. La tetraciclina no se encuentra en la naturaleza, y por eso el gen solo se activa en los machos una vez liberados. Pero la represión preexistente dura el tiempo suficiente para que los machos encuentren a una hembra y se apareen con ella. Las crías heredan el gen suicida y no pueden desactivarlo porque no hay tetraciclina en su comida. Y mueren debido a su propia herencia genética letal.

Hay muchas cosas admirables en esta tecnología. Tiene

el potencial de reducir el uso de insecticidas químicos que a menudo son lamentablemente promiscuos en los insectos que toman como diana. En las campañas anti-mosquito que usan sustancias químicas puede ser difícil que los humanos encuentren todos los pequeños depósitos de agua estancada que tanto les gusta a las mosquitos hembra. Pero esto no es ningún problema para los machos genéticamente modificados; cien millones de años de evolución los han convertido en expertos en esta actividad. La tecnología de Oxitec tiene como objetivo a una sola especie de mosquito, por lo que no afecta a otras especies que no son portadoras de enfermedades. En las Islas Caimán la especie tomada como diana es una que no existía allí originalmente. Fue accidentalmente importada por la acción del hombre. La tecnología se autolimita; una vez liberados los machos y en cuanto sus hijos mueren, el gen suicida desaparece de la población. Todos estos factores minimizan la alteración del ecosistema.

Directos a la extinción

Con el desarrollo de las más recientes técnicas de edición genética es posible idear enfoques todavía más sofisticados para controlar mosquitos y otras especies invasivas de insectos. Estas técnicas pueden desarrollarse e implementarse mucho más rápidamente que los tipos de tecnología de los que dependía Oxitec cuando creó el Mosquito Amistoso.

Investigaciones llevadas a cabo en el Imperial College de Londres han creado una fascinante versión de este modelo de tecnología.[7] Los investigadores trabajaron con una especie de mosquito muy común en el África subsahariana y que es uno de los principales portadores de la malaria. Utilizaron la edición genética para crear algo muy extraño, algo que raramente se da en la naturaleza. Esencialmente, subvirtieron uno de los principios fundamentales de la genética.

Igual que nosotros, los mosquitos tienen dos copias de la mayor parte de genes, una heredada de la madre y otra del padre. Cuando un mosquito macho produce esperma, solamente una copia de cada gen entra en dicho esperma. Una situación similar se da en la hermbra cuando produce óvulos. Cuando el óvulo y el espermatozoide se fusionan para dar lugar a un nuevo individuo, se restablece la dosis doble de cada gen.

Vamos a generar un mosquito macho hipotético y a seleccionar aleatoriamente uno de sus genes, que llamaremos RANDOM. Supongamos que el gen RANDOM viene en dos colores, digamos rojo y amarillo, y que nuestro imaginario parásito zumbador contiene uno de cada color. Cuando nuestro imaginario mosquito macho produce esperma, la mitad de los espermatozoides contendrán la versión RANDOM-roja y la otra mitad la versión RANDOM-amarilla. También esperamos que la mitad de sus crías heredarán el RANDOM-rojo y la otra mitad el RANDOM-amarillo. Es simplemente la ley de los promedios en acción.

Imaginemos ahora que el RANDOM-rojo es una versión bastante rara del gen RANDOM. Tal vez uno de cada diez mosquitos posee una copia roja. Si estos diez mosquitos tienen 100 hijos cada uno, solo 50 de cada 1.000 en la siguiente generación poseerán el RANDOM-rojo. Hay muchas probabilidades de que el RANDOM-rojo nunca alcance un elevado nivel en subsiguientes generaciones, porque será barrido por las versiones de RANDOM-amarillo. Es de nuevo la ley del promedio.

Pero ¿y si pudiésemos influir en el dato genético de modo

que RANDOM-rojo estuviese sobrerepresentado en cada generación, y se propagase hasta un nivel realmente elevado? En condiciones normales esto solo podría suceder si RANDOM-rojo diese al mosquito que lo contuviese una fuerte ventaja selectiva sobre sus competidores RANDOM-amarillos. Esto fue esencialmente lo que logró hacer el equipo de investigadores del Imperial College. Encontraron una forma de favorecer la transmisión de una versión de un gen clave sobre otra. Y esto significa que fueron capaces de acelerar la velocidad con la que dicha versión se propagó entre una población de mosquitos, elevando su proporción muy por encima de lo que predice la ley del promedio. Este fenómeno se conoce como deriva genética.

Los científicos lo consiguieron utilizando la técnica de la edición genética. Crearon mosquitos en los que una copia de un gen clave había sido modificada de una forma muy ingeniosa. Introdujeron todo un cassette de edición genética en una parte concreta del mosquito, solo en una copia del gen seleccionado. Cuando el mosquito crió, pasó el cassette de edición genética al 50 por ciento de sus crías.

Este cassette de edición genética fue diseñado para que se activase en un determinado momento durante el desarrollo de las crías. Una vez activado, cortaba la versión heredada del otro progenitor y la convertía en su misma versión. Esencialmente era como el gen RANDOM-rojo convirtiendo al gen RANDOM-amarillo. El mosquito resultante podía comenzar su vida con una versión amarilla y una versión roja de sus genes, pero a medida que se desarrollaba todas pasaban a ser rojas.

A partir de ese momento, la población de mosquitos tiene unos niveles más elevados de la versión editada del gen clave de lo que cabía esperar. La deriva genética ha empezado.

Los investigadores tenían otro truco en la manga de la bata del laboratorio. El gen que habían alterado era realmente extraño, era un gen llamado *sexodoble*. Los mosquitos con una versión normal y una versión editada de *sexodoble* se desarrollan perfectamente. Pero cuando un mosquito tiene dos versiones editadas, la cosa se complica un poco; el 50 por ciento de estos individuos se desarrollan como machos fértiles perfectamente sanos. Pero el otro 50 por ciento se desarrolla como hembras raras, con una extraña mezcla de órganos reproductivos masculinos y femeninos. Son estériles y no pueden producir óvulos. Y ya que no producen óvulos, no necesitan alimentarse de sangre, lo que las hace inmediatamente menos peligrosas para los humanos como vectores de transmisión de enfermedades.

Esta versión de la edición genética, por consiguiente, tiene múltiples beneficios en el control de las poblaciones de mosquitos. Las hembras no se alimentan de sangre y son estériles, y el gen editado que lleva a esta infertilidad femenina se propaga por una población con mucha mayor rapidez.

Los investigadores crearon una colonia segura de reproducción de mosquitos que contenía 300 machos normales, 150 hembras normales y 150 machos que poseían un gen *sexodoble* normal y uno editado. Los modelos matemáticos predecían que la propagación del gen *sexodoble* editado, y sus consiguientes efectos sobre la fertilidad, acabarían produciendo el colapso de la colonia al cabo de entre nueve y trece generaciones. En una serie de repeticiones independientes de este mismo experimento, los resultados obtenidos estuvieron siempre dentro de los límites de las proyecciones matemáticas.

Estos resultados no garantizan necesariamente que tales efectos dramáticos vayan a darse en el mundo natural. Podría ser que hubiese alguna debilidad insospechada en los mosquitos con una sola versión editada del gen *sexodoble* que solo se manifestase en los caóticos y salvajes entornos de la lucha por la vida. Quedan por hacer muchos ensayos de campo extensos, pero es muy probable que este enfoque se adapte también en los casos de otras especies de insectos parásitos.

¿Acaso 'puede' significa 'debe'?

Utilizar la deriva genética para obliterar una especie de mosquito es un ejemplo de intervención científica a nivel de un ecosistema. De forma preocupante, los intentos de controlar de este modo especies indeseadas ha puesto frecuentemente de relieve el fenómeno de las consecuencias no deseadas.

El uso excesivo y generalizado del pesticida DDT desde la década de 1940 a la de 1970 estuvo a punto de producir una catástrofe medioambiental. El DDT actuaba de una manera promiscua, eliminando a un sinnúmero de insectos de diversas especies, perturbando la cadena trófica de manera desastrosa y causando el colapso de poblaciones de aves, especialmente de las aves rapaces en la parte superior de la cadena alimentaria aviar.

Más recientemente, una clase de pesticidas llamados neonicotinoides se ha visto implicada en la eliminación de un sinnúmero de insectos polinizadores como las abejas. Actualmente, la Agencia Europea de Seguridad Alimentaria controla de manera muy estricta el uso de estos compuestos.[8]

No son solo las sustancias químicas las que han causado problemas cuando las hemos introducido en el entorno. En 1935 se introdujeron en Australia 3.000 sapos gigantes (*Rhinella marina*) para controlar al escarabajo de la caña, una especie nativa que estropeaba las cosechas de caña de azúcar.

Los sapos gigantes procedían de América del Sur, pero resultó que se adaptaron estupendamente bien a su nuevo hogar. Son venenosos para cualquier cosa que pretenda comérselos, y hay un número enorme de invertebrados australianos que a los sapos les encanta comerse. Irónicamente, el escarabajo de la caña no es uno de ellos. Actualmente hay millones de sapos gigantes en Australia y están dañando a muchos ecosistemas frágiles y singulares.[9]

Ha habido, por supuesto, experimentos más exitosos, especialmente en el control de especies invasivas. La opuntia o nopal es una planta cactácea que había sido introducida en Australia y que se había desarrollado de manera galopante, y que pudo ser controlada gracias a la introducción de una especie de mariposa que la encuentra irresistiblemente apetecible.[10] A mediados del siglo XX casi medio millón de acres de tierras de cultivo norteamericanas se vieron infestadas por el hipérico o hierba de San Juan (*Hypericum perforatum*), una planta que nunca había crecido de forma natural en el continente. Actualmente casi ha desaparecido gracias a la introducción de escarabajos australianos.[11]

El problema es que a menudo solo llegamos a darnos plenamente cuenta de las consecuencias a escala del ecosistema después de haber intervenido. Si la edición genética se utiliza para provocar daños en poblaciones de mosquitos, ¿cuáles pueden ser las consecuencias? ¿Seremos testigos de importantes reducciones en el número de sus depredadores, como libélulas y murciélagos? ¿No hará esto que otras especies de mosquitos o de otros insectos amplíen su campo de acción en nuevos territorios que hayan quedado vacantes, trayendo consigo otros vectores transmisores de enfermedades? Determinadas especies de murciélagos son polinizadores importantes de algunas plantas (si al lector le gusta el tequila, puede darle las gracias al murciélago que poliniza el ágave), por lo que las bajas en las poblaciones de murciélagos pueden tener efectos insospechados en cosechas importantes de cultivos alimenticios.[12]

Naturalmente, nuestro punto de vista sobre esta cuestión está muy influido por el lugar en que vivimos y por las enfermedades a que estamos expuestos. Si uno vive en una región de clima templado, un posible colapso en el número de murciélagos puede probablemente tener más trascendencia que si vive en una región tropical y ya ha perdido a algunos de sus seres queridos por culpa de la malaria.

El principal atractivo de las tecnologías que utilizan la deriva genética y que ha hecho posible la edición genética es la rapidez con que se propagan por una población después de una única introducción. Esto explica por qué grandes inversores están financiando con grandes sumas de dinero las investigaciones en este campo. La Fundación Bill & Melinda Gates ha invertido 75 millones de dólares en estas tecnologías, y DARPA, la agencia norteamericana de proyectos de investigación en defensa, unos 100 millones. Pero es la rápida propagación y la persistencia del enfoque basado en la deriva genética, lo que tal vez debería preocuparnos más. Una vez que los hemos dejado en libertad en la naturaleza resulta muy difícil volver a encerrar en un tubo de ensayo a los mosquitos editados.

Expulsando a nuestros peludos amigos (o no tan amigos)

Los humanos tenemos tendencia a provocar estragos ecológicos incluso cuando no es esta nuestra intención. Nuestra tendencia a manipular todo lo que nos rodea solo es probablemente igualada por nuestra obsesión por averiguar qué hay detrás de la esquina, más allá del siguiente recodo del río, o más allá del horizonte. La historia de los humanos es una historia de viajes y exploraciones, y raramente hemos hecho estos viajes solos, sin la compañía de otros animales. Los roedores en particular han sido frecuentemente polizones en nuestros barcos y se han propagado por todo el globo con una velocidad aterradora.

Las regiones aisladas más remotas son especialmente vulnerables a las especies invasivas. A los animales de estas regiones, especialmente cuando son islas, la evolución los ha dotado de pocas defensas –comportamentales o de otro tipo– con las que hacer frente a los invasores. Una y otra vez hemos sido testigos de la devastación causada en las poblaciones de una isla por la introducción de una especie nueva de mamíferos. Las aves marinas de las remotas Islas Shiant (en gaélico escocés, las "islas encantadas") estaban siendo presa de las ratas, hasta que se logró controlar la situación seduciendo a las ratas con unos irresistibles señuelos encantadoramente simples a base de chocolate en polvo y mantequilla de cacahuete.[13] Cuatro años de lanzamientos desde el aire de estos señuelos de baja tecnología impregnados de veneno han conseguido finalmente librar a la isla de Georgia del Sur de las ratas y ratones que habían causado tantos estragos en las poblaciones de aves del lugar, incluidas las de dos especies que no se encuentran en ningún otro lugar del mundo.[14]

Si bien este tipo de éxitos son muy bienvenidos, hay situaciones en las que es preciso emplear otros métodos más sofisticados que el de los señuelos envenenados. Lamentablemente, estos métodos tradicionales solo son apropiados en regiones geográficamente aisladas y donde no haya especies nativas que también podrían verse afectadas por los tóxicos señuelos. Necesitamos técnicas alternativas que puedan utilizarse de manera segura para controlar vertebrados invasivos en otras situaciones.

Era evidente que los investigadores reconocerían rápidamente que la edición genética les permitiría diseñar y poner a prueba mecanismos de deriva genética con una velocidad sin precedentes. Un equipo de la Universidad de California en San Diego ha utilizado la edición genética para crear ratones de laboratorio que contienen un mecanismo para la deriva genética. Su intención no era generar una deriva genética letal, simplemente estaban explorando si el método podía funcionar, y encontraron un mecanismo para cambiar el color del pelaje de las ratas. Si la deriva genética funcionaba como esperaban, el número de ratones blancos en sus colonias tenía que aumentar con mayor rapidez que el de las de población no editada.

De manera decepcionante para los científicos involucrados, encontraron que el color blanco del pelaje no se propagaba rápidamente entre la población cuando los ratones criaban. El número de ratones blancos era muy inferior al esperado. La versión editada del gen no se propagaba al mismo ritmo que se había logrado en los experimentos de deriva genética con mosquitos. Se propagaba especialmente mal en el caso de los machos, lo que ponía de manifiesto la posible existencia de un escollo particularmente difícil durante la producción de esperma. Los autores concluían: "Parece, en consecuencia, que tanto el optimismo como la preocupación respecto a que el método de la deriva genética pueda utilizarse pronto para reducir en condiciones naturales a las poblaciones invasivas de roedores son probablemente prematuros."[15]

Es inevitable que se produzcan muchos más intentos de crear derivas genéticas para controlar especies invasivas.

Las nuevas tecnologías de edición genética facilitan mucho crear este tipo de extrañas cargas genéticas y esto estimulará mucho las investigaciones en este campo. Y es posible que esto se produzca en un momento en que en diversas partes del mundo hay una nueva voluntad política de abordar los problemas causados por las especies invasivas. Nueva Zelanda ha lanzado una iniciativa llamada "Libre de Depredadores 2050", el objetivo explícito de la cual es "erradicar de Nueva Zelanda las especies más dañinas de depredadores introducidos desde fuera: ratas, armiños y zarigüeyas."[16] De momento, se utilizan solo trampas y otros métodos tradicionales, pero no sería nada extraño que pronto se aumentase el arsenal de combate con una nueva arma: la edición genética para crear derivas genéticas letales.

Puede que el lector haya advertido que falta un animal en la lista de depredadores de Nueva Zelanda. Hay un millón y medio de gatos en Nueva Zelanda, y el peaje medioambiental que ello representa es probablemente inmenso. Un estudio realizado en Estados Unidos estimó que los gatos salvajes pueden matar unos mil millones de presas cada año.[17] Pero todas las agencias gubernamentales de varios países que han tratado de limitar el número de gatos han topado con unos niveles extraordinarios de hostilidad y oposición. En el ámbito del control de plagas, como en otras muchas áreas de la actividad humana, parece que a los humanos nos resulta muy difícil renunciar a nuestra fe en el carácter inalterable de nuestro dominio sobre los otros habitantes del planeta.

9

Elija una pregunta, cualquier pregunta

Uno de los motivos por los que las nuevas tecnologías para la edición genética están teniendo un impacto tan grande en la ciencia básica es porque pueden aplicarse a casi cualquier especie de un modo fácil y barato. Esto no era cierto de ninguno de los enfoques anteriores, porque requerían reactivos moleculares muy especializados, finamente ajustados a cada especie. Si un investigador quería trabajar con un animal o planta poco habitual, podía tardar varios años simplemente en desarrollar las herramientas genéticas necesarias. Ya no es así. Las nuervas tecnologías han modernizado la ciencia biológica. No importa lo rara que sea la especie elegida, es posible crear los reactivos moleculares necesarios para investigar las cuestiones que realmente le interesen a uno. Se trata de investigaciones impulsadas por la pura curiosidad, y están produciendo unos resultados increíblemente poderosos.

Fijémonos, por ejemplo, en la hormiga incursora clonal (*Ooceraea biroi*) es un himenóptero minúsculo pero poderoso. Es una criatura pequeña y rechoncha de unos 2 mm de largo que vive en colonias de unos cuantos centenares de individuos. Su diminuto tamaño no es ningún impedimento para sus ambiciones. Estas hormigas se pasan la vida bajo tierra, atacando los nidos de otras especies de hormigas y llevándose las larvas para comérselas.

Si tu vida depende de la formación de tropas de asalto capaces de realizar un ataque coordinado y de volver a lugar seguro después de una jornada de saqueo, necesitas poder comunicarte con los otros miembros de tu grupo. Los investigadores estaban bastante seguros de que las hormigas incursoras clonales hacen esto siguiendo los rastros químicos dejados por los miembros de su colonia cuando salen en sus misiones. Pero cómo lo hacían exactamente no estaba muy claro. Las hormigas son criaturas relativamente simples cuyas acciones están esencialmente cableadas. Tienen un número limitado de opciones posibles en respuesta a una situación determinada. Estas respuestas son instintivas, no cognitivas; la hormiga no toma decisiones conscientes. La gama de acciones que puede realizar en respuesta a un estímulo está gobernada por sus genes. El problema que tenían los investigadores era el de identificar exactamente qué gen de la hormiga, o qué combinación de genes, era vital para cada respuesta concreta.

El año 2017 unos científicos de la Rockefeller University en Nueva York consiguieron llevar a cabo exactamente los experimentos que querían hacer. Sospechaban que un gen en particular era vital para la comunicación entre las hormigas incursoras clonales. Comprobaron su hipótesis interfiriendo en dicho gen e impidiéndole funcionar, tras lo cual examinaron el comportamiento de las hormigas. Y realmente sintieron pena por esas pequeñas criaturas. No podían seguir el rastro dejado por otras hormigas, de modo que estaban siempre desorientadas y estaban extraviándose constantemente. Incluso cuando conseguían permanecer junto a otros miembros de la colonia eran incapaces de seguir las pautas sociales de su especie y se quedaban aisladas.[1] Eran como ese niño que todos tenemos en nuestras memorias escolares infantiles, el que siempre era el último en ser elegido cuando se formaban equipos deportivos y el que inevitablemente se perdía cuando íbamos de excursión.

La edición genética de la hormiga incursora clonal convirtió a un deportista de instituto en un friki de club de ajedrez. No es, pues, nada extraño que esta tecnología se haya utilizado también para investigar la glamurosa naturaleza de la reina del baile en el mundo de los insectos.

Mentes de mariposa

Hay casi 180.000 especies de insectos en el orden de los lepidópteros. Aproximadamente un 10% de ellos son mariposas y el resto polillas. En la batalla por el voto popular, las mariposas están casi empatadas con las mariquitas en la lista de los insectos que más gustan. Es difícil que no te gusten las mariposas, porque no te muerden, no te destrozan las cosechas (por lo menos, no en su etapa adulta), y muchas de ellas tienen un aspecto espléndido. Las hay en un gran número de patrones y de colores, a menudo extraordinariamente llamativas y hermosas. Pero la enorme gama de patrones y colores de ala que nos permiten distinguir tan fácilmente especies de mariposas, crea una especie de extraño enigma. ¿Cómo se explica una diversidad tan grande de apariencia cuando todas las especies utilizan básicamente los mismos genes? Los intentos de responder a esta pregunta habían estado bloqueados porque era muy difícil hacer experimentos genéticos con mariposas. Pero todo esto cambió con la última generación de la tecnología de edición genética fácil de utilizar.

Un grupo de la Universidad de Cornell estaba interesado en un gen concreto que había estado implicado en el desarrollo de los patrones de color de las alas. Este gen fue identificado mediante una serie de laboriosos estudios durante muchos, muchos años. Pero aunque los investigadores pensaban que este gen era muy importante, estaban en un punto muerto y no podían demostrarlo de manera concluyente. Pero luego surgieron las nuevas tecnologías de edición genética, y de repente empezó el juego para los lepidopteristas más curiosos.

Los investigadores utilizaron los nuevos enfoques para alterar la expresión del gen en cuatro especies diferentes de mariposas. Las mariposas resultantes perdían el color rojo natural en sus alas, y lo sustituían por el color negro. Los científicos dedujeron que el gen que estaban investigando actuaba como un interruptor controlando si las células de la mariposa producen un pigmento de color o el pigmento negro, la melanina. Encontraron resultados consistentes en diferentes especies de mariposas que se habían separado más de 80 millones de años antes, sugiriendo que este sistema de controlar si las alas son de colores o negras es un sistema notablemente fundamental.

Pero en al menos una especie, los experimentos de modificación genética mostraron que este gen tiene otras funciones. Uno de los motivos de que las mariposas fuesen mucho más populares entre los coleccionistas del siglo XIX que otras especies de insectos igualmente pintorescas, como las libélulas, se debe a la forma en que se crean algunos de sus patrones cromáticos más espectaculares. Los brillantes colores como de pedrería de las libélulas los generan habitualmente unos pigmentos, unas moléculas de proteínas concretas que hay en las células. Una vez muerta la libélula, estas proteínas se descomponen. Cuando esto sucede, los colores del organismo se desvanecen, reduciendo al originalmente resplandeciente insecto a una mera sombra sin brillo de su antiguo yo.

Lo mismo puede decirse de algunas especies de mariposas. Después de ser capturadas pueden desteñirse como una fotografía dejada a pleno sol.

Pero algunas de las especies más espectaculares de mariposas crean los colores de una forma diferente. En vez de utilizar pigmentos, las escamas de sus alas tienen una estructura física extraordinariamente compleja. Dichas estructuras influyen en cómo interactúan las escamas con la luz, curvando los rayos y creando de este modo unos colores asombrosos, como un azul extremadamente vívido. Esto se conoce como iridiscencia y es un ejemplo de coloración estructural. Dado que depende de la estructura física de las escamas y no de la presencia de pigmentos, no se descomponen y destiñen una vez muerto el animal. Hay especímenes iridiscentes de mariposa en colecciones y museos que fueron capturadas hace más de un siglo y que permanecen tan llamativamente brillantes y vívidas como lo estaban el mismo día en que fueron atrapadas, matadas y clavadas con un alfiler. Era esta vivacidad permanente lo que más apreciaban los coleccionistas.

Los miembros del equipo de la Universidad de Cornell se quedaron asombrados al descubrir que en una de cada cuatro especies de mariposas que estaban estudiando, la modificación genética del gen estudiado no tenía simplemente como resultado la transición de color a negro. En la mariposa "ojo de venado" (*Junonia coenia*), los colores marrón y amarillo de las alas eran sustituidos por una iridiscencia azul brillante. Nadie había previsto este resultado. Esto sugiere que el gen destino produce normalmente dos efectos diferentes. Reprime la producción de melanina e impide el desarrollo de los rasgos estructurales que crean la iridiscencia.

¿Cómo es posible que la disrupción de la expresión de un gen produzca efectos tan espectacularmente diferentes en especies estrechamente emparentadas? Es probable que el gen destino controle otros muchos genes que trabajan juntos para influir en los colores de diferentes especies. Los investigadores examinaron qué genes permanecen activos en las mariposas normales y en las modificadas e identificaron varios posibles candidatos responsables de los efectos finales. No pudieron poner a prueba su hipótesis en el artículo científico original,[2] pero podemos apostar con toda seguridad que en futuras exploraciones utilizarán las técnicas de la edición genética.

Puedes esperar media vida para que alguien publique un artículo científico sobre la genética molecular de las mariposas, y de pronto aparecen dos al mismo tiempo. Publicados de manera consecutiva en la misma revista, el segundo artículo lo escribieron un grupo de biólogos de siete universidades diferentes repartidas entre el Reino Unido y los Estados Unidos. También utilizaron la tecnología de la edición genética para investigar los patrones y los colores de las alas de las mariposas, pero estaban interesados en un gen diferente del estudiado por el grupo de Cornell.[3] Utilizaron la tecnología más reciente para inactivar el gen a estudiar en siete especies diferentes de mariposa. Esta desactivación produjo unos cambios en las marcas de las alas que fueron fácilmente identificados. Los autores llegaron a la conclusión de que en una sola especie este gen es el responsable del desarrollo de patrones en diferentes regiones del ala. Esto crea el dibujo concreto de rayas, puntos y manchas que permiten caracterizar a las diferentes especies. En un ingenioso comentario, uno de los autores del segundo artículo describió la función del gen diciendo que actúa como un lápiz para hacer esbozos que dibujan el contorno de las marcas en las alas de la mariposa, mientras que el gen analizado por el grupo de Cornell es el pincel que las rellena de color.[4]

También mostraron que el gen que actúa como un lápiz para hacer esbozos es el responsable de los diferentes patrones complejos que se dan de forma natural al comparar especies. Esto implica que el gen destino opera de manera sutilmente diferente en diferentes especies, posiblemente debido a leves variaciones en otros genes en los que influye. Este modelo de diferencias sutiles que interactúan es consistente con una teoría evolutiva que postula que diferencias muy grandes entre especies pueden deberse a alteraciones aparentemente menores en conjuntos de genes que interactúan.

Los datos publicados en los dos artículos generaron bastante interés en la prensa popular porque a casi todo el mundo le gustan las mariposas. Este trabajo científico también ha dado a los biólogos evolucionistas un auténtico impulso, ayudándoles a explicar parte de la asombrosa diversidad que se da en el mundo de los insectos. Pero el aspecto más sorprendente es realmente el hecho de que este tipo de experimentos se han vuelto factibles, e increíblemente rápidos. Como destacaba uno de los principales autores del artículo, en un comentario que parece combinar el asombro y una ligera sensación de redundancia personal: "Estos son experimentos con los que hace unos años solo podíamos soñar. La tarea más difícil de mi carrera se ha convertido de la noche a la mañana en un proyecto universitario".

Los secretos de la salamandra

El axolotl o ajolote es una criatura extraordinaria, una criatura que te hace feliz solo por el hecho de contemplarla. Es un anfibio, un miembro de la familia de la salamandra, y tiene una de estas caras que parecen estar siempre sonriendo.

Aunque sabemos que nuestra respuesta es completamente antropomórfica, resulta muy difícil no devolverle la sonrisa.

El ajolote se encuentra en una situación muy extraña, en el sentido de que es una especie en peligro de extinción, y sin embargo hay millones de ellos en el planeta. Esto se debe a que casi ha desaparecido en la naturaleza pero está prosperando en cautividad. Uno de los motivos de que haya tantos ajolotes es que son unos animales domésticos bastante monos y fáciles de mantener. El otro motivo es que tienen poderes de regeneración que parecen casi milagrosos desde el punto de vista de un humano. Y esto los ha convertido en un organismo modelo muy popular entre los científicos.

Si un humano pierde el dedo meñique del pié, o una parte de un lóbulo de la oreja o la punta de la nariz, ya puede despedirse de ellos para siempre. Un ajolote puede perder toda una extremidad y no le importa en absoluto, porque puede regenerarla en un mes y medio. Ningún mamífero o ave puede hacer algo parecido. Tanto por curiosidad como por posibles mejoras médicas, nos encantaría saber cómo se las arreglan estas adorables pequeñas salamandras para hacerlo. Y nos gustaría saber si podemos adaptar sus habilidades para mejorar la medicina regenerativa humana. Esto se está convirtiendo en un foco de intenso interés, debido al envejecimiento de la población humana. Muchos de nuestros tejidos no evolucionaron para seguir funcionando durante los largos períodos durante los cuales vivimos actualmente. La ciencia médica no trata de ayudarnos a que nos crezcan nuevas extremidades, simplemente trata de mejorar el funcionamiento de las partes más gastadas del cuerpo. Rodillas que crujen, caderas doloridas, dedos artríticos: nos encantaría mejorar su modo de funcionar sin tener que someternos a una intervención quirúrgica, tal vez estimulando el rejuvenecimiento de tejidos cansados como los cartílagos y los huesos viejos. Tal vez podemos aprender algo de los talentos regenerativos del ajolote.

Una vez más, las nuevas técnicas de la edición genética están permitiendo a los científicos optimizar cómo utilizan al ajolote como sistema experimental. Es fácil utilizar la tecnología para cambiar el ADN de los ajolotes y para investigar qué genes y procesos son cruciales en el proceso regenerativo. También ayuda a los ajolotes a producir unos huevos enormes, lo que de entrada facilita la introducción de reactivos para la edición genética en el organismo. Utilizando este enfoque, los investigadores ya han demostrado que un gen concreto, en una población seleccionada de células, es absolutamente crítico para crear nuevo músculo cuando al ajolote le crece una nueva extremidad.[6]

Nadie espera que estos experimentos lleven pronto a una completa regeneración de miembros en los humanos. Las barreras son demasiado altas y la complejidad demasiado grande para que esto llegue a ser posible durante la vida de alguien que esté leyendo ahora este libro. El Doctor Curt Connors de *Spiderman* –alias El Lagarto– no está en el horizonte terapéutico de nadie.* Pero los ajolotes también pueden regenerar su médula espinal después de sufrir una herida severa, y esta es una oportunidad mucho más atractiva para la medicina regenerativa.

La modificación genética se ha utilizado para investigar la importancia de unos genes concretos en la regeneración de

---

* Los lagartos en realidad no regeneran sus extremidades, pero seguramente La Salamandra Risueña no le pareció lo suficientemente amenazadora como supervillano.

la médula espinal de los ajolotes.[7] La esperanza es que ello lleve eventualmente a una comprensión detallada de cómo repara el ajolote sus tejidos vitales, y qué partes del proceso están ausentes (o actúan de modo diferente) en los humanos. Es perfectamente factible que podamos utilizar estos conocimientos, y otras técnicas similares de modificación genética para modificar el comportamiento y las acciones de las células nerviosas y tejidos asociados en los pacientes humanos de lesiones en la médula espinal. Una lesión de apenas unos milímetros en la médula espinal humana puede causar parálisis y discapacidad para toda la vida. No es ridículo pensar que seremos capaces de saltar este bache milimétrico antes de transcurridas un par de décadas.

Cuando Sally encontró a Sally, y Harry encontró a Harry

Para crear un nuevo niño, se necesita un hombre que aporte una célula espermática y una mujer que aporte un óvulo. Es el requisito básico. Esto puede hacerse a la manera tradicional o en una clínica de fertilización in vitro, donde se procede cultivando en el laboratorio el embrión en desarrollo antes de implantarlo en el útero de una mujer. Pero se haga como se haga se necesita un espermaozoide y un óvulo, naturalmente.

Naturalmente. Esta es una de las frases más conflictivas que se emiten en el ámbito científico. Pues si en determinados momentos alguien pregunta "¿por qué?", normalmente hay dos posibles respuestas. La primera es "porque...", y esta no suele considerarse muy útil. La segunda es "No lo sé, pero voy a averiguarlo." Esta suele ser en general más útil, pero a menudo solo unos pocos tienen la imaginación suficiente para pronunciarla y para encontrar la forma de hacer valer su afirmación.

En la década de 1980, Azim Surani hizo exactamente esto en la Universidad de Cambridge. Surani es un hombre tranquilo, de hablar suave, que ha revolucionado nuestro conocimiento de la biología reproductiva de los mamíferos. El profesor Surani quería saber por qué los mamíferos solo pueden reproducirse si hay un espermatozoide y un óvulo involucrados en el proceso. Al fin y al cabo, otros muchos animales, desde el insecto palo al dragón de Komodo no tienen que saltar esta barrera. Sus hembras no tienen ningún problema para traer pequeños al mundo sin la ayuda de papá. ¿Qué tienen, pues, de especial los mamíferos?

Los experimentos de Azim Surani fueron tan hermosamente elegantes que uno casi se olvida fácilmente de lo asombrosos que fueron. Surani utilizó la tecnología de la fecundación in vitro, pero trabajando con ratones en vez de con humanos. Esto es básicamente lo que hizo. Obtuvo óvulos de ratón y les extrajo el núcleo. Luego inyectó otro núcleo en los óvulos "vacíos". En algunos de los óvulos inyectó dos núcleos. En otros inyectó dos núcleos de espermatozoide. En un tercer grupo inyectó un núcelo de un óvulo y un núcleo de un espermatozoide. Luego cultivó los óvulos manipulados.

Los núcleos se fusionaron en las tres condiciones experimentales. Una vez en el interior de un óvulo, dos núcleos de espermatozoide o dos núcleos de óvulo pueden unirse tan eficazmente como un óvulo y un espermatozoide. El profesor Surani implantó los varios embriones en desarrollo en ratones hembra, solo un tipo de embrión en cada hembra. Luego esperó. Las hembras que habían recibido embriones creados a partir de un óvulo y un espermatozoide dieron lugar a unas crías sanas. Las que habían recibido embriones solo de espermatozoides o solo de óvulos no tuvieron crías. Cuando recuperó estos embriones de las hembras en las que los había implantado vio que se había producido un cierto desarrollo, pero de forma errática.

Podríamos pensar que esto simplemente nos informaba de algo que ya sabíamos, que se necesita un espermatozoide y un óvulo para crear un mamífero. Pero había un detalle fabuloso en la forma en que se habían diseñado estos experimentos que aportaba mucha información. Los investigadores habían tenido acceso a ratones genéticamente idénticos durante décadas, a consecuencia de unos programas de cría endogámica estrechamente controlados. Azim Surani se aprovechó de ello para llevar a cabo sus experimentos. En las tres condiciones experimentales utilizó exactamente las mismas cepas de ratones. El ADN en los núcleos de óvulo era exactamente el mismo que el ADN en los núcleos de espermatozoide. A nivel genético no había diferencia alguna entre las tres situaciones experimentales, y sin embargo los resultados fueron enteramente diferentes. Peor para el ADN si quería seguir siendo el único árbitro del destino.

El profesor Surani había demostrado que la reproducción de los mamíferos se basa en la herencia de algo más aparte del ADN. Había aportado pruebas preliminares de que este 'algo más' era un conjunto de complementos del ADN a los que nos referimos como 'modificaciones epigenéticas'. En determinadas posiciones clave del genoma, el ADN es diferentemente etiquetado con estas modificaciones, en función de si la copia fue heredada del óvulo o del espermatozoide. En este caso el equilibrio es fundamental. En la situación experimental en la que había dos óvulos o dos espermatozoides, este equilibrio no era apropiado y ello afectaba negativamente al desarrollo del embrión.[8]

Estas modificaciones epigenéticas no tienen la misma función en las especies no mamíferas, y esta es una de las razones de que los dragones de Komodo y otros organismos partenogenéticos sean capaces de reproducirse sin ninguna entrada de esperma. Pero estas modificaciones químicas tienen una importancia vital en todos los mamíferos placentarios, incluidos los humanos, en los que hay al menos cien de estas regiones críticas.

El año 2018 este campo de la biología atrajo la atención de los medios de comunicación cuando un grupo de Beijing utilizó la más reciente tecnología de edición genética para derribar esta barrera reproductiva en los ratones. Pudieron extirpar regiones concretas del genoma del ratón, que normalmente eran las que podrían contener la información epigenética adicional. En función de las regiones que extirpaban, podían producir ratones vivos que tenían dos padres o dos madres.[9] Las crías con dos madres genéticas eran incluso capaces de madurar y de tener descendencia propia, pero las crías con dos padres no consiguieron sobrevivir hasta la edad adulta.

Aunque los resultados fueron sorprendentes, el enfoque utilizado había sido bastante tosco. La edición genética se había utilizado para extirpar áreas bastante grandes del genoma, que normalmente contienen información epigenética crítica. Buena parte del trabajo llevado a cabo por los investigadores implicaba encontrar regiones en las que dicha pérdida de información genética y epigenética fuera tolerable. Un enfoque mucho más elegante sería utilizar las nuevas tecnologías de edición genética para alterar la información epigenética, dejando intacta la secuencia nativa de ADN intacta. Aunque todavía está en pañales, ya se están haciendo progresos en este campo, y en los próximos años veremos probablemente mejoras sustanciales en nuestra comprensión del impacto preciso de toda una serie de modificaciones epigenéticas en el genoma y su interacción con el entorno.[10]

Esto no significa que sea probable que veamos una utilización similar de la edición genética en la fertilización in vitro en humanos para crear niños de parejas del mismo sexo. Aunque la fase de los experimentos correspondiente a la edición genética fue relativamente sencilla, el resto de las intervenciones fueron increíblemente complejas y requirieron poblaciones celulares muy especializadas. El índice de supervivencia de los embriones también fue increíblemente bajo. Las barrerras de seguridad y eficacia, así como las barreras morales para aplicar este método a los humanos son muchas, diversas y poco probable que puedan abordarse en un futuro previsible.

10

Fama y fortuna

Los gobiernos invierten fondos en la investigación científica por varias razones. Una perfectamente válida es que la buena ciencia es uno de los grandes logros culturales de la humanidad, como las pinturas de Rafael o las novelas de Jane Austen. Pero los gobiernos también invierten porque esperan recuperar la inversión. Esperan que su apuesta produzca dividendos en forma de impacto positivo. Este impacto puede adoptar diversas formas: un mayor bienestar de los ciudadanos gracias a las iniciativas en pro de la salud pública; una mayor estabilidad global gracias a una mejora en la seguridad del suministro de alimentos, y una desaceleración del cambio climático mediante el perfeccionamiento de tecnologías para utilizar fuentes renovables de energía son algunos ejemplos de ello a gran escala.

Pero los gobiernos también esperan que sus inversiones en el ámbito científico den frutos de una forma más clara y directamente económica. Quieren ver que algunos de los trabajos que financian produzcan directamente resultados comerciales, que generen dinero en efectivo para las instituciones académicas y que idealmente lleven a la creación de empresas que contraten a individuos de talento y que todo ello estimule el crecimiento y la economía.

Puede ser muy difícil predecir qué inversiones en investigación producirán un beneficio financiero directo. Uno de los centros académicos más exitosos del mundo por lo que respecta a la generación de retornos financieros a sus inversiones en investigación es la Universidad de Stanford en California. Uno de los mecanismos empresariales que utilizan para generar ingresos comerciales es ceder las licencias de propiedad intelectual creadas por sus investigadores. Esto significa básicamente que las empresas que adquieren la licencia de una tecnología en particular pagan una cuota a Stanford si consiguen ganar dinero utilizando el invento licenciado. Pero la realidad es que la mayor parte de los productos intelectualmente licenciados no se convierten en la base de un producto de éxito. Aproximadamente el 70 por ciento de las licencias que cede Stanford generan muy poco o ningún ingreso. Básicamente es muy difícil predecir quiénes serán los ganadores del nuevo sorteo tecnológico.

Pero de vez en cuando surge una nueva tecnología que es claramente 'caballo ganador' y que tiene un potencial económico enorme. La edición genética es una de estas innovaciones. Sus aplicaciones son increíblemente extensas, desde la investigación básica a la creación de nuevas y valiosas variedades de animales y plantas, y es extraordinariamente fácil de utilizar. Era inevitable que la edición genética fuera objeto de un intenso interés comercial. Solo unos pocos años después de su creación ya está haciendo ganar montones de dinero a algunas empresas. Desgraciadamente, estas empresas son los bufetes jurídicos.

Nos vemos en los tribunales

Una sencilla búsqueda en una base de datos sobre patentes muestra al menos dos mil documentos referentes a la edición genética. Estos documentos cubren una amplia gama de modificaciones y de mejoras respecto a la tecnología original. Hay dos familias de aplicaciones de patentes que se consideran más importantes, sin embargo, y son las que se presentaron al principio, cuando los investigadores demostraron por vez primera cómo utilizar la tecnología para cambiar una secuencia genética.

Un rápido recordatorio de los actores clave en este proceso es de rigor aquí. En junio de 2012 Jennifer Doudna y Emmanuelle Charpentier publicaron su trabajo, utilizando una molécula guía híbrida y mostrando que el sistema de edición genética que ellas habían desarrollado funcionaba en tubos de ensayo y no solo en bacterias. Sus patronos de la Universidad de California en Berkeley y de la Universidad de Viena habían solicitado la aplicación de la patente para proteger su descubrimiento en mayo de 2012. En febrero de 2013 Feng Zhang, del Instituto Broad* en Cambridge, Massachusetts, publicó su trabajo en el que la edición genética tenía lugar en el interior del núcleo de las células. Sus patronos habían solicitado una patente en diciembre de 2012.

Todo esto podría parecer muy sencillo, con Doudna y Charpentier siendo las primeras en publicar y las primeras en presentar una solicitud de patente. El sistema de patentes es básicamente un sistema de mayoría simple en que el ganador se lo lleva todo.

---

* Socio de la Universidad de Harvard y del Instituto Tecnológico de Massachusetts (MIT).

Pero las cosas no son siempre tan sencillas.

El Instituto Broad pagó para abreviar el procedimiento en la Oficina de Patentes norteamericana y en abril de 2014 le fue concedida la patente. Muchos observadores se mostraron sorprendidos de que la Oficina de Patentes acordase emitir su dictamen sobre la solicitud del Instituto Broad cuando todavía se estaba tramitando la solicitud anterior de la Universidad de Berkeley y la Universidad de Viena. Era bastante obvio que las dos solicitudes se solapaban. Pero se emitió el dictamen.

Las universidades de Doudna y Charpentier protestaron, pero no respecto a la tramitación acelerada de la solicitud de su rival. Basaron sus objeciones a la concesión de la patente al Instituto Broad en la cuestión de la "obviedad". Supongamos que uno inventa un nuevo tipo de cerradura. Solicita una patente e incluye en ella diversas formas de diseñar la cerradura para que funcione en puertas de casas, apartamentos, establos y graneros. Luego viene otro, retoca ligeramente el invento original y solicita una patente para utilizar la cerradura en puertas de cobertizo. Las autoridades encargadas de otorgar las patentes rechazarían probablemente esta segunda solicitud, argumentando que los pequeños retoques y el uso levemente diferente podían considerarse obvias extensiones del invento original. Para cualquier persona "experta" (en el ejemplo, experta en el negocio de crear e instalar cerraduras) esta habría sido una obvia aplicación del invento original que no debería ser premiada por ser la autora de una modificación poco importante.

Este fue el enfoque adoptado por la Universidad de Berkeley y la Universidad de Viena. Su postura era que Doudna y Charpentier habían ideado todas las fasaes clave del proceso, y que Feng Zhang se había limitado a aplicarlo ampliándolo un poco, pero sin aportar nada especialmente ingenioso o creativo. La Junta de Apelación de la Oficina de Patentes norteamericana estuvo en desacuerdo y el año 2017 determinó que el trabajo de Feng Zhang era lo suficientemente diferente e inventivo como para no ser considerado una simple extensión de la idea contenida en la solicitud de patente de Doudna y Charpentier.[1] En setiembre de 2018, el Tribunal de Apelación de Estados Unidos confirmó el dictamen.[2]

Esto representó un serio contratiempo para las universidades de Berkeley y Viena. La patente del Instituto Broad basada en el trabajo de Feng Zhang cubre el uso de la edición genética en cualquier célula eucariota. Esto incluye todas las plantas y animales y es donde reside el valor monetario real de esta tecnología.

Pero la decisión judicial no acabó con todas las complicaciones del caso. Las autoridades europeas sobre patentes habían sentenciado *en contra* del Instituto Broad, en parte basándose en una curiosa disputa sobre cómo considerar qué es un invento. Cuando el Instituto Broad presentó su solicitud original, uno de los coinventores era un colaborador de la Universidad de Rochester, Luciano Marraffini. Su nombre fue retirado de las solicitudes posteriores y esto tuvo dos consecuencias. Una fue que la Universidad de Rochester presentó su propia solicitud, posiblemente para presionar al Instituto Broad para que compartiese con ellos los beneficios financieros de la patente (las dos organizaciones acordaron finalmente resolver sus disputas al margen de los tribunales). La otra consecuencia fue que la Oficina Europea de Patentes vio con malos ojos el cambio en la lista de inventores, y decidió que ello significaba que la fecha de la solicitud originl ya no era válida.[3] Para cuando el Instituto Broad presentó las siguientes solicitudes, ya se habían publicado muchas de las investigaciones correspondientes, y según la ley europea no puedes pedir una patente por algo que ya es del dominio público.

Así pues, ahora tenemos una situación muy enrevesada en la que los propietarios de la propiedad intelectual increíblemente valiosa en que se basa uno de los desarrollos más transformadores de la biología son diferentes en función de la parte del mundo en que viven. Esto creará con toda probabilidad una situación comercial muy compleja y confusa durante bastante tiempo.

La edición genética fue inventada el año 2012. ¿Cómo podemos, pues, estar tan seguros de que será comercialmente provechosa? Un buen indicio es la cantidad de dinero que se han gastado las partes interesadas en esta batalla por las patentes fundacionales, que ya es del orden de decenas de millones de dólares. Otro son los mil millones de dólares más o menos que ya han invertido las empresas que trabajan para desarrollar comercialmente la tecnología de la edición genética.

La fortuna

Los grandes nombres de la edición genética son, sin duda, Jennifer Doudna, Emmanuelle Charpentier y Feng Zhang. Todos ellos han intentado crear empresas juntos en varias configuraciones, pero ninguna de estas combinaciones ha funcionado durante mucho tiempo. Los tres científicos se han mostrado encomiablemente discretos respecto a por qué no han funcionado. Cada uno de ellos está ahora significativamente implicado en empresas dedicadas a la edición genética que ellos mismos han contribuido a fundar. Estas tres empresas son las más grandes en el campo de la edición genética. Jennifer Doudna es una cofundadora de Caribou Biosciences, con sede en Berkeley, California. Emmanuelle Charpentier es la cofundadora de CRISPR Therapeutics, cuyo principal centro de investigación está en Cambridge, Massachusetts y el cuartel general de la empresa en Suiza. Feng Zhang es uno de los científicos fundadores de Editas Medicine, también con sede en Cambridge, Massachusetts.

Estas empresas están bien financiadas y son muy valiosas. Caribou Biosciences está en manos de inversores privados. Las otras dos cotizan en el mercado bursátil norteamericano. Editas Medicine está actualmente valorada en 1.200 millones de dólares, y CRISPR Therapeutics en 2.600 millones de dólares. Estas cifras son bastante sorprendentes si tenemos en cuenta que ninguna de estas empresas ha vendido todavía ningún producto, exceptuando reactivos para la investigación.

Estas empresas no solo tienen el prestigio que les da su asociación con los científicos más destacados del campo de la edición genética, sino que también tienen acceso a la propiedad intelectual que han generado, incluidos los descubrimientos relativos a las patentes en disputa (y otras muchas aplicaciones de ellas derivadas y también patentadas). Editas Medicine posee las licencias de las principales patentes registradas por el Instituto Broad, y ha sido Editas Medicine la que ha pagado las facturas de los costos legales de la lucha por las patentes del Broad. Hasta ahora, esto se eleva a casi 15 millones de dólares.[4] Caribou Biosciences, la empresa fundada por Jenifer Doudna, ha reembolsado a la Universidad de California en Berkeley, los 5 millones de dólares más o menos que ha gastado en la disputa legal.

Los pleitos son tan costosos porque es mucho lo que está en juego. Potencialmente, todas las empresas del mundo que quieran utilizar la edición genética para crear productos comerciales tendrán que pagar derechos de autor a los propietarios de las patentes fundacionales. Estos derechos se basarán probablemente en las ventas reales de los productos y es posible que globalmente asciendan a miles de millones de dólares. Las tres principales empresas de este ámbito también necesitan defender sus propios derechos a crear productos sin tener que pagar royalties a otras empresas. Así no solo necesitan defender su posición actual, sino ir por delante de sus oponentes en el acceso a nuevos desarrollos.

Un ejemplo de esto es el reciente trato que han establecido Editas Medicine y el Instituto Broad. La empresa se ha comprometido a invertir hasta 125 millones de dólares en la financiación de las investigaciones del Broad, a cambio del derecho a primera opción en nuevos inventos de investigación genética.[5] 125 millones es mucho dinero para financiar a unos científicos cuyo trabajo no puedes controlar y sin tener ninguna garantía de qué pueden crear. Pero podemos estar seguros de que este no será el último trato de este tipo que veremos firmar.

La fama

Las patentes son instrumentos legales cubiertos por un montón de artículos legales, pero todavía dependen de la interpretación humana, por ejemplo para decidir si una nueva reclamación representa realmente una creación genuinamente inventiva, o simplemente más de lo mismo. Pero hay determinados aspectos de una patente que son diáfanamente claros. Es fácil saber quién solicitó una patente primero, y en la mayor parte de jurisdicciones esto es lo que cuenta respecto a qué propiedad intelectual es la que protege la patente. Si dos inventores independientes presentan una solicitud de patente para inventos muy parecidos, la protección se da al que la ha registrado primero, aunque sea con un solo día de diferencia. Esto puede llegar a ser terriblemente importante respecto a quién acabará ganando dinero con el invento.

Pero el dinero no es lo único que importa. No estoy insinuando que a los científicos no les preocupa el dinero, pero esta no es normalmente su principal motivación, probablemente porque muy pocos de ellos sacan algo más de su trabajo aparte del salario que cobran. Mucho más importante es la satisfacción de hacer un nuevo descubrimiento y el reconocimiento de sus colegas. Cuando un campo científico progresa con mucha rapidez, puede resultar difícil para los observadores conocer la secuencia exacta de los descubrimientos, y cuál es el trabajo que ha llevado a ellos. La edición genética no es ninguna excepción a esta regla. El campo empezó poco a poco con los descubrimientos en ciencia básica acerca de los sistemas bacterianos de defensa, pero tomó impulso rápidamente cuando los investigadores interesados en la modificación de los genomas se dieron cuenta de las posibilidades que se abrían frente a ellos.

El deseo de clarificar el relato en torno a la edición genética fue probablemente la motivación detrás de la decisión tomada por la revista *Cell* de encargar una revisión de la historia de esta tecnología transformadora. *Cell* es la revista más destacada del mundo en el campo de las ciencias biológicas. Publica principalmente trabajos de investigación muy innovadores e importantes y a veces también hace evaluaciones de tipo más general. Nadie en la comunidad científica se extrañó de que *Cell* decidiese publicar una extensa historia de la edición genética. Nadie se extrañó tampoco de que quisiese que se encargase de ello un científico importante y que además escribiese muy bien. Pero sí causó sorpresa que la persona a la que encargaron escribir el artículo fuese el presidente y director fundador del Instituto Broad. Sí, el Instituto Broad, el mismo de la disputa sobre las patentes.

Eric Lander, el individuo en cuestión, tiene un récord científico estelar en el campo de la genética, y escribe con un estilo esmerado y accesible. Pero era imposible que saliese ileso después de escribir este artículo, titulado "Los héroes del CRISPR."[6] Un observador lo comparó con un personaje de la tragedia griega, y comentó que "la única persona que podía hacerle daño era él mismo, porque es invulnerable a la espada de cualquier otra persona." El autor de este comentario fue el profesor George Church, otro pionero de la edición genética y colega de Lander en el Instituto Broad.[7]

El artículo de Lander provocó un desasosiego general. Fue básicamente recibido como un intento de restar importancia al papel de Doudna y Charpentier, y situar a Feng Zhang en primer plano en el desarrollo de la tecnología. Como dijo George Church: "Normalmente no soy tan quisquilloso respecto a este tipo de errores, pero en cuanto vi que ellos [Lander y *Cell*] no estaban reconociendo el mérito a esas dos personas jóvenes, Doudna y Charpentier, que eran quienes habían hecho el trabajo, me dije: 'No, tengo que corregir lo que sé que es falso.'"[8]

Lander dedica mucho tiempo al trabajo de Virginijus Šikšnys, de la Universidad de Vilnius, que empleó el mismo tipo de enfoque que Doudna y Charpentier. Šikšnys presentó su trabajo para su publicación en abril de 2012, pero fue rechazado por *Cell* y acabó publicándolo en forma reducida en otra revista en setiembre de aquel mismo año. Doudna y Charpentier presentaron su artículo a *Science* (otra revista de primera línea) el 8 de junio de 2012 y fue publicado el 28 de junio. Un lector podría inferir del artículo de Lander que

Doudna y Charpentier tomaron ventaja gracias a que dominaban mejor el sistema de publicación, pero ni tengo ni idea de por qué fue rechazado el artículo original de Šikšnys. Es posible que el artículo publicado en *Science* fuese simplemente más convincente.

En el momento de escribir este libro, el Instituto Broad está ganando la batalla legal de las patentes contra Berkeley y Viena. Pero parece que en el ámbito menos formal de la opinión científica, lo cierto es lo contrario. Doudna y Charpentier van por delante de Zhang en los índices de aprobación de sus colegas científicos. Compartieron el millón de dólares del Kavil Prize del año 2018 con Virginijus Šikšnys.[9] Y el año 2015 las dos científicas ganaron el Premio Breakthroughh en Ciencias de la Vida[10], y aquel mismo año les concedieron el Gruber Prize en Genética.[11] Feng Zhang no ha sido olvidado. El año 2016 compartió el Gairdner Prize con las dos mujeres[12], y los tres han obtenido también otros galardones.

¿Y qué hay del Número Uno? Un premio Nobel a la edición genética es una cuestión de "cuándo" se va a conceder y no de "si" se va a conceder. No hay una sola persona que pueda ganar el premio Nobel por un descubrimiento individual. Doudna y Charpentier son las claras favoritas, así que, ¿quién será el tercero?, si es que hay un tercero. ¿Feng Zhang o Virginijus Šikšnys? ¿Algún otro? No es demasiado pronto para la concesión del premio. Shinya Yamanaka obtuvo el premio Nobel de Medicina el año 2012 por un trabajo publicado el año 2006.[13] Pero la forma de proceder del Comité Nobel tiene mucho de extraña y opaca. Pueden esperar décadas para ver si surge un consenso. También puede que esperen un tiempo igual de largo hasta que solo queden tres actores importantes en juego, pues el premio Nobel nunca se concede con carácter póstumo. Pero si encuentran ustedes a alguien dispuesto a aceptar una apuesta, les sugiereo que los nombres de Doudna y Charpentier pueden ser una buena opción.

Y ahora, ¿adónde vamos?

La revolución de la edición genética está creando una caja de herramientas tecnológicas en la que casi cada científico mínimamente competente puede encontrar algo útil. Por un lado, esto debería producirnos entusiasmo, porque podremos resolver problemas y simplemente satisfacer nuestra curiosidad. Pero ¿debería también preocuparnos? Utilizando mazo y cinceles, Miguel Ángel creó algunas de las más exquisitas esculturas que hemos visto. Pero con estas mismas herramientas en manos de cualquier otro el resultado sería probablemente muy diferente, y seguramente desastroso.

Algunos comentaristas ya han sugerido usos nefastos de la tecnología de la edición genética, como el de unos criminales utilizándola para cambiar su ADN de modo que ya no coincida con el que la policía pudo haber registrado en la escena del crimen. Esto es realmente muy exagerado y sería poco probable que tuviese éxito. Pero esto no significa que no haya aplicaciones potencialmente negativas. No sería muy difícil, por ejemplo, utilizar la edición genética para transformar unas bacterias inocuas en otras muy peligrosas para los humanos o para el ganado. Y estas bacterias podrían utilizarse como armas biológicas o simplemente para extorsionar a industrias o gobiernos vulnerables.

Pero la misma tecnología puede utilizarse para aliviar el sufrimiento humano y, si somos lo bastante inteligentes, para reducir el impacto que nuestra torpe especie tiene en el único planeta de todo el universo, que sepamos, que soporta seres de vida compleja. No podemos des-inventar esta tecnología, probablemente ni siquiera podremos controlar su difusión. ¿Qué otra alternativa tenemos, por consiguiente, sino aceptarla y utilizarla bien para crear un mundo más seguro y más igualitario para todos?

Notas

Introducción

1. Cyranoski, D., Ledford, H. "Genome-edited baby claims provokes international outcry". Nature (Noviembre 2018); 563 (7733): 607-608.
2. https://www.nature.com/articles/d41586-018-07607-3
3. https://www.sciencemag.org/news/2018/12/after-last-weeks-shock-scientists-scramble-prevent-more-gene-edited-babies?utm_campaign=news_weekly_2018-12-07&et_rid=49203399&et_cid=2534785

Capítulo 1

1. http://journals.plos.org/plosgdenetics/article?id=10.1371/journal.pgen.1000653.
2. http://journals.plos.org/plosgenetics/article?id=10.1371/journal.pgen.1000653.
3. https://ghr.nlm.nih.gov/primer/genomicresearch/snp
4. https://www.amnh.org/exhibitions/permanent-exhibitions/human-origins-and-cultural-halls/anne-and-bernard-spitzer-hall-of-human-origions/understanding-our-past/dna-comparing-humans-and-chimps/
5. http://www.genomenewsnetwork.org/resources/sequenced_genomes/genome_guide_p1.shtml
6. Davidson, B.L., Tarle, S.A., Palella, T.D., Kelley, W.N. 'Molecular basis of hypoxanthine-guanine phosphoribossyltransferase deficiency in 10 subjects determined by direct sequencing of amplified transcripts'. *J.Clin.Invest.* (1989); 84: 342-346.
7. https://www.omim.org/entry/300322?search=lesch-nyhan%20mutation&highlight=leschnyhan%20lesch%20nyhan%20mutation#40

Capítulo 2

1. https://www.cancerresearchuk.org/healt-professional/cancer-statistics/worldwide-cancer
2. Adamson, G.D., Tabangin, M., Macaluso, M., Mouzon, J. d. 'The number of babies born globally after treatment with the assisted reproductive technologies (ART)'. *Fertility and Sterility* (2013); 100(3): S42.
3. Mojica, F.J.M., Díez-Villaseñor; C. Soria, E., y Juez, G. 'Biological significance of a family of regularly spaced repeats in the genomes of Archea, Bacteria and mitochondria', *Mol. Microbiol.* (2000); 36: 244-46.
4. Para una descripción del solitario trabajo de Mojica en aquellos primeros días, véase Mojica, F.J.M., Garrett R.A., 'Discovery and Seminal Developments in the CRISPR Field', en: Barrangou, R., Van Der Oost, J. (eds.), *CRISPR-Cas Systems* (2013); Springer, Berlín, Heidelberg.
5. Mojica, F.J., Díez-Villaseñor, C., García-Martínez, J. et al, *J.Mol. Evol.* (2005); 60: 174. https://doi.org/10.1007/s00239.004-0046-3
6. Para un resumen muy interesante, aunque parcial, véase: Lander, E.S. 'The Heroes of CRISPR'. *Cell* (14 de enero de 2016); 164 (1-2): 18-28.
7. Rodolphe Barrangou, Christophe Fremaux, Hélène Deveau, Melissa Richards, Patrrick Boyaval, Sylvain Moineau, Dennis A. Romero, Philippe Horvath. 'CRISPR Provides Acquired Resistance Against Virusesa in Prokaryotes', *Science* (23 de marzo de 2007); 1709-1712.
8. Stan J.J. Brouns, Matthijs M. Jore, Magnus Lundgren, Edze R. Westra, Rik J.H. Slijkhuis, Ambrosius P.L., Snijders, Mark J. Dickman, Kira S. Makarova, Eugene V. Koonin, John Van Der Oost, 'Small CRISPR RNAs Guide Antiviral Defense in Prokaryotes'. *Science* (15 de agosto de 2008); 960-964.
9. Marraffini, L.A. & Sontheimer, E.J. 'CRISPR interference limits horizontal gene transfer in staphylococci by targeting DNA'. *Science* (2008); 322: 1843-1845.
10. Martin Jinek, Krzysztof Chylinski, Inés Fonfara, Michael Hauer, Jennifer A. Doudna, Emmanuelle Charpentier. 'A Programmable Dual-RNA-Guided DNA Endonuclease in Adaptive Bacterial Immunity'. *Science* (17 de agosto de 2012): 816-821.
11. Le Cong, F. Ann Ran, David Cox, Shuailiang Lin, Roberto Barretto, Naomi Habib, Patrick D. Hsu, Xuebing Wu, Wenyan Jiang, Luciano A. Marraffini, Feng Zhang. 'Multiplex Genome Engineeriong Using CRISPR/Cas Systems'. *Science* (15 de febrero de 2013); 819-823.

Capítulo 3

1. Para una terrorífica actualización de los datos sobre la población humana mundial, puede consultarse esta página: http://www.worldmeters.info/world-population/
2. https://esa.un.org/unpd/wpp/
3. https://www.cia.gov/library/publications/the-world-factbook/geos/xx.html
4. http://data.un.org/Data.aspx?q=world+population&d=PopDiv&f=variableID%3A53%3BcrID%3A900
5. http://data.un.org/Data.aspx?d=PopDiv&f=variableID%3A65
6. https://www.cia.gov/library/publications/the-world-factbook/geos/xx.html
7. https://www.ons.gov.uk/peoplepopulationandcommunity/birthsdeathsandmarriages/lifeexpectancies/bulletins/nationallifetablesunitedkingdom/2014to2016
8. https://www.ons.gov.uk/peoplepopulationandcommunity/birthsdeathsandmarriages/lifeexpectancies/articles/howhaslifeexpectancychangedovertime/2015-09-09
9. http://www.fao.org/docrep/005/y4252e/y4252e05b.htm
10. House of Commons briefing paper 3336 on Obesity Statistics, 20 de marzo de 2018
11. https://www.niddk.nih.gov/health-information/health-statistics/overweight-obesity
12. http://www.fao.org/save-food/resources/keyfindings/en/
13. Feng, Z., Zhang, B., Ding, W., Liu, X., Yang, D.L., Wei, P. et al. "Efficient genome editing in plants using a CRISPR/Cas system". *Cell Res.* (2013); 23: 1229-1232.
14. Li, J., Norville, J.E., Aach, J., McCormack, KI., Zhang, D., Bush, J. et al. "Multiplex and homologous recombination-mediated genome editing in Arabidopsis and Nicotiana benthamiana using guide RNA and Cas9". *Nat. Biotechnol.* (2013); 31: 688-691.
15. Xie, K., & Yang, Y., "RNA-guided genome editing in plants using a CRISP/Cas system". *Mol. Plant* (2013); 6: 1975-1983.
16. Gil, L. et al. "Phylogeography: English elm is a 2,000-year-old Roman clone". *Nature* (28 de octubre de 2004); 431: 1053.
17. Waltz, E. "Gene-edited CRISPR mushroom escapes US regulation". *Nature* (21 de abril de 2016); 532: 293.
18. Sánchez-León, S., Gil-Humanes, J., Ozuna, C.V., Giménez, M.J., Sousa, C., Voytas, D.F., Barro, F. "Low-gluten, nontransgenic wheat engi-

neered with CRISPR/Cas9". *Plant Biotechnol. J.* (abril de 2018); 16(4): 902-910.

19. Denby, C.M., Li, R.A., Vu, V.T., Costello, Z., Lin, W., Chan, L.J.G., Williams, J., Donaldson, B., Ba,forth, C.W., Petzold, C.J., Scheller, H.V., Martin, H.G., Keasling, J.D., "Industrial brewing yeast engineered for the production of primary flavor determinants in hopped beer". *Nat. Commun.* (20 de marzo de 2018); 9(1): 965.
20. http://ricepedia.org/rice-as-food/the-global-staple-rice-consumers.
21. Miao, C., Xiao, L., Hua, K., Zou, C., Zhao, Y., Bressan, R.A., Zhu, J.K. "Mutations in a subfamily of abscisic acid receptor genes promote rice growth and productivity". *Proc. Natl. Acad. Sci.* USA (5 de junio de 2018); 115(23): 6058-6063.
22. Shrivastava, P., Kumar, R., "Soil salinity: A serious environmental issue and plant growth promoting bacteria as one of the tools for its allevation." *Saudi J. Biol. Sci.* (marzo de 2015); 22(2): 123-31.
23. http://www.un.org/en/events/desertification_decade/whynow.shtml
24. https://www.theguardian.com/environment/2014/feb/09/global-water-shortages-threat-terror-war
25. Shi, J., Gao, H., Wang, H., Lafitte, H.R., Archibald, R.L., Yang, M., Hakimi, S.M., Mo, H., Habben, J.E.. "ARGOS8 variants generated by CRISPR-Cas9 improve maize grain yield under field drought stress conditions". *Plant Biotechnol. J.* (febrero de 2017); 15(2): 207-16.
26. http://www.isaaa.org/resources/publications/briefs/49/executivesummary/default.asp
27. http://www.who.int/nutrition/topics/vad/en/
28. Humphrey, J.H., West, K.P.Jr., Sommer, A., "Vitamin A deficiency and attributable mortality among under-5-year-olds". *Bull. World Health Organ.* (1992); 70(2): 225-232.
29. Ye, X., Al-Babili, S., Klöti, A., Zhang, J., Lucca, P., Beyer, P., Potrykus, I. "Engineering the provitamin A (beta-carotene) biosynthetic pathway into (carotenoid-free) rice endosperms". *Science*)14 de enero de 2000); 287(5451): 303-305.
30. http://supportprecisionagriculture.org/nobel-laureate-gmo.letter_rjr.html
31. https://www.usda.gov/media/press-releases/2018/03/28/secretary-perdue-issues-usda-statement-plant-breeding-innovation
32. https://www.theguardian.com/science/2018/apr/07/gtene-editing-ruling-crops-plants

Capítulo 4

1. Burkard, C., Lillico, S.G., Reid, E., Jackson, B., Mileham, A.J. et al. "Precision engineering for PRRSV resistance in pigs: Macrophages from genome edited pigs lacking CD163 SRCR5 domain are fully resistant to both PRRSV genotypes while maintaining biological function". *PLOS Pathogens* (2017); 13(2): e1006206.
2. Helena Devlin. "Scientists on brink of overcoming livestock diseases through gene editing". *The Guardian* (17 de marzo de 2018).
3. Gao, Y., Wu, H., Wang, Y., Liu, X., Chen, L., Li, Q., Cui, C., Liu, X., Zhang, J., Zhang, Y. "Single Cas9 nickase induced generation of NRAMP1 knockin cattle with reduced off-target effects". *Genome Biol.* (1 de febrero de 2017); 18(1): 13.
4. Zheng, Q., Lin, J., Huang, J., Zhang, H., Zhang, R., Zhang, X., Cao, C., Hambly, C., Qin, G., Yao, J., Song, R., Jia, Q., Wang, X., Li, Y., Zhang, N., Piao, Z., Ye, R., Speakman, J.R., Wang, H., Zhou, Q., Wang, Y., Jin, W., Zhao, J. "Reconstitution of UCP1 using CRISPR/Cas9 in the white adipose tissue of pigs decreases fat deposition and improves thermogenic capacity". *Proc. Natl. Acad. Sci. USA* (7 de noviembre de 2017); 114(45): E9474-E9482.
5. Para una reseña realmente útil, véase Lamas-Toranzo, I., Guerreo-Sánchez, J., Miralles-Bover, H., Alegre-Cid, G., Pericuesta, E., Bermejo-Álvarez, P. "CRISPR is knocking on barn door". *Reprod. Domest. Anim.* (Octubre de 2017); 52, Suppl 4: 39-47.
6. Lv, Q., Yuan, L., Deng, J., Chen, M. Wang, Z., Zeng, J., Li, Z., Lai, L. "Efficient Generation of Myostatin Gene Mutated Rabbit by CRISPR/Cas9". *Sci. Rep.* (26 de abril de 2016); 6: 25029.
7. Crispo, M., Mulet, A.P., Tesson, L., Barrera, N., Cuadro, F., dosd Santos-Neto, P.C., Nguyen, T.H., Crénéguy, A., Brusselle, L., Anégon, I., Menchaca, A. "Efficient Generation of Myostatin Knock-Out Sheep Using CRISPR/Cas9 Technology and Microinjection into Zygotes". *PloS One* (25 de agosto de 2015); 10(8): e=136690.
8. Wang, X., Yu, H., Lei, A., Zhou, J., Zeng, W., Zhu, H., Dong, Z., Niu, Y., Shi, B., Cai, B., Liu, J., Huang, S., Yan, H., Zhao, X., Zhou, G., He, X., Chen, X., Yang, Y., Jiang, Y., Shi, L., Tian, X., Wang, Y., Ma, B., Huang, X., Qu, L., Chen, Y. "Generation of gene-modified goats targeting MSTN and FGF5 via zygote injection of CRISPR/Cas9 system". *Sci. Rep.* (10 de setiembre de 2015); 5:13878.
9. Marc Heller, "US agencies clash over who should regulate genetically engineered livestock". *E&E News* (19 de abril de 2018).

10. Lev, E., "Traditional healing with animals (zootherapy): medieval to present-day Levantine practice". *J. Ethnopharmacol* (2003); 85:1078-118.
11. https:/ / www.grandviewresearch.com / press-release / global-biologics-market
12. https:/ / www.cjd.ed.ac.uk / sites / default / files / cjdq72.pdf
13. https:/ / www.haea.org / HAEdisease.php
14. https:/ / www.ruconest.com / about-ruconest /
15. Oishi, I., Yoshii, K., Miyahara, D., Tagami, T. "Efficient production of human interferon beta in the white of eggs from ovalbumin gene-targeted hens". *Sci. Rep.* (5 de julio de 2018); 8(1).
16. https:/ / www.hra.nhs.uk / planning-and-improving-research / application-summaries / research-summaries / resource-use-associated-with-managing-lyosomal-acid-lipase-deficiency /
17. https:/ / unos.org / data /
18. Yang, L., Güell, M., Niu, D., George, H., Lesha, E., Grishin, D., Aach, J., Schrock, E., Xu, W., Poci, J., Cortazio, R., Wilkinson, R.A. Fishman, J.A., Church, G.. "Genome-wide inactivation of porcine endogenous retroviruses (PERVs)'.*Science* (27 de noviembre de 2015); 350(6264): 1101-1104.
19. Niu, D., Wei, H.J., Lin, L., George, H., Wang, T., Lee, I.H., Zhao, H.Y., Wang, Y., Kan, Y., Shrock, E., Lesha, E., Wang, G., Luo, Y., Qing, Y., Jiao, D., Zhao, H., Zhou, X., Wang, S., Wei, H., Güell, M., Church, G.M., Yang, L. "Inactivation of porcine endogenous retrovirus in pigs using CRISPR-cas)" *Science* (22 de setiembre de 2017); 357 (6357): 1303-1307.
20. http:/ / www.frontlinegenomics.com / news / 18625 / pig-organs-future-transplants /

Capítulo 5

1. https:/ / www.buzzfeednews.com / article / stephaniemlee / this-biohacker-wants-to-edit-this-own-dna
2. https:/ / www.insidescience.org / news / Alxzheimer%27s-Drug-Trials-Keep-Failing
3. http:/ / www.who.intt / bulletin / volumes / 86 / 6 / 06-036673 / en /
4. Para una visión general histórica elaborada por la persona que dirigió esta investigación, véase https:/ / iubmb.onlinelibrary.wiley.com / doi / full / 10.1002 / bmb.2002.494030050108

5. https://www.cdc.gov/ncbddd/sicklecell/data.html
6. http://www.ema.europa.eu/ema/index.jsp?curl=pages/medicines/human/orphans/2011/03/human_orphan_000889.jsp&mid=WC0b01ac058001d12b
7. EudracCT Number: 2017-003351-38.
8. http://ir.crisprtx.com/news-releases/news-release-details/crispr-therapeutics-and-vertex-provide-update-fada-review
9. https://nypost.com/2018/02/06/scientists-see-positive-results-from-1st-ever-gene-editing-therapy/
10. http://ir.editasmedicine.com/phoenix.zhtml?c=254265&p=irol-newsArticle&ID=2273032
11. http://www.wsj.com/articles/china-unhampered-by-rules-races-ahead-in-gene-editing-trials-1516562360

Capítulo 6

1. https://www.cdc.gov/vaccinesafety/concerns/history/narcolepsy-flu.html
2. Schaefer, K.A., Wu, W.H., Colgan, D.F., Tsang, S.H., Bassuk, A.G., Mahajan, V.B. ·Unexpected mutations after CRISPR-Cas9 editing in vivo". *Nat. Methods* (30 de mayo de 2017); 14(6): 547-548.
3. https://www.biorxiv.org/content/early/2017/07/05/159707.
4. https://medium.com/@GaetanBurgio/should-we-be-worried-about-crispr-cas9-off-target-effects-57dafaf0bd53
5. Murray, Noreen et al., "Review of data on possible toxicity of GM potatoes". *The Royal Society* (1 de junio de 1999).
6. Ewen, S.W., Pusztai, A. "Effect of diets containing genetically modified potatoes expressing Galanthus nivalis lectin on rat small intestine". *Lancet* (16 de octubre de 1999); 354(9187): 1353-1354.
7. Wakefield, A.J., Murch, S.H., Anthony, A., Linnell, J., Casson, D.M., Malik, M., Berelowitz, M., Dhillon, A.P., Tyhomson, M.A., Harvey, P., Valentine, A., Davies, S.E., Walker-Smith, J.A. "Ileal-lymphoid-nodular-hyperplasia, non specific colitis, and pervasive developmental disorder in children", *Lancet* (28 de febrero de 1998); 351(9103): 637-641.
8. http://www.who.int/vaccine_safety/committee/topics/mmr/mmr_autism/en/
9. https://www.bbc.co.uk/news/health-43125242
10. Ihry, R.J., Worringer, K.A., Salick, M.R., Frias, E., Ho, D., Theriault, K., Kommineni, S., Chen, J., Sondey, M., Ye, C., Randhawa, R., Kulkarni, T., Yang, Z., McAllister, G., Russ, C., Reece-Hoyes, J., Forrester, W.,

Hoffman, G.R., Dometsch, R., Kaykas, A. "p53 inhibits CRISPR-Cas9 engineering in human pluripotent stem cells". *Nat. Med.* (julio de 2018); 24(7): 939-946.

11. Haapaniemi, E., Botla, S., Persson, J., Schmierer, B., Taipale, J., "CRISPR-Cas9 genome editing induces a p53-mediated DNA damage response". *Nat. Med.* (julio de 2018); 24(7): 927-930.
12. https://www.cnbc.com/2018/06/11/crispr-stocks-tank-after-research-shows-edited-cells-might-cause-cancer.html
13. Maude, S.L. , Frey, N., Shaw, P.A. et al. "Chimeric Antigen Receptor T. Cells for Sustained Remissions in Leukemia". *The New England Journal of Medicine* (2014); 371(16): 1507-1517.
14. https://www.genengnews.com/gen-mews-highlights/mustang-bio-launches-criosprcas9-car-t-collaborations-with-harvard-bidmc/81255233
15. Hirsch, T., Rothoeft, T., Teig, N., Bauer, J.W., Pellegrini, G., De Rosa, L., Scaglione, D., Reichelt, J., Klausegger, A., Kneisz, D., Romano, O., Secone Seconetti, A., Contin, R., Enzo, E., Jurman, I., Carulli, S., Jacobasen, F., Luecke, T., Lehnhardt, M., Fischer, M., Kueckelhaus, M., Quaglino, D., Morgante, M., Bicciato, S., Bondanza, S., De Luca, M. "Regeneration of the entire human epidermis using transgenic stem cells". *Nature* (16 de noviembre de 2017); 551(7680): 327-332.
16. Liao, H.K., Hatanaka, F., Araoka, T., Reddy, P., Wu, M.Z., Sui, Y., Yamauchi, T., Sakurai, M., O'Keefe, D.D., Núñez-Delicado, E., Guillen, P., Campistol, J.M., Wu, C.J., Lu, L.F., Esteban, C.R., Izpisua Belmonte, J.C., "In Vivo Target Gene Activation via CRISPR/Cas9-Mediated Trans-epigenetic Modulation". *Cell* (14 de diciembre de 2017); 171(7): 1495-1507.
17. Lee, K., Conboy, M., Park, H.M., Jhiang, F., Kim, H.J. Dewitt, M.A., Mackley, V.A., Chang, K., Rao, A., Skinner, C., Shobha, T., Mehdipour, M., Liu, H., Huang, W.C., Lan, F., Bray, N.L., Li, S., Corn, J.E., Kataoka, K., Doudna, J.A., Conboy, I., Murthy, N., "Nanoparticle delivery of Cas9 ribonucleoprotein and donor DNA in vivo induces homology-direct DNA repair". *Nat. Biomed. Eng.* (2017); 1:889-901.
18. Dabrowska, M., Juzwa, W., Krzyzosiak, W.J., Olejniczak, M., "Precise Excision of the CAG Tract from the Huintington Gene by Cas9 Nickases". *Front. Neurosci.* (26 de febrero de 2018); 12:75.
19. King, A. "A CRISPR edit for heart disease". *Nature* (8 de marzo de 2018); 555(7695): S23-S25.

Capítulo 7

1. https://www.nhs.uk/conditions/pregnancy-and-baby/newborn-blood-spot-test/
2. https://www.25doctors.com/learn/how-much-sperm-does-a-man-produce-in-a-day
3. Uno de los más recientes es el informe de julio de 2018 del Nuffield Council on Bioethics, "Genome editing and human reproduction", que ha sido muy útil para la redacción de este capítulo.
4. https://ghr.nlm.nih.gov/condition/leigh-syndrome#inheritance
5. https://www.newscientist.com/article/2107219-exclusive-worlds-first-baby-born-with-new-3-parent-technique/
6. https://www.newscientrist.com/article/2160120-first-uk-three--parent-babies-could-be-born-this year/
7. "Genome editing and human reproduction". Nuffield Council on Bioethics (julio de 2018).
8. https://www.medicinenet.com/script/main/art.asp?articlekey=22414
9. "Genome editing and human reproduction". Nuffield Council on Bioethics (julio de 2018).
10. https://www.gov.uk/definition-of-disability-under-equality-act-2010
11. https://www.american-hearing.org/understanding-hearing-balance/
12. https://www.k-international.com/blog/different-types-of-sign-language-around-the-world/
13. https://www.theguardian.com/world/2002/apr/08/davidtheater

Capítulo 8

1. Referencia a la Biblia del Rey Jaime, Génesis 1:26: "Y dijo Dios, hagamos al hombre a nuestra imagen y semejanza, y démosle el dominio sobre los peces del mar y sobre las aves del aire, y sobre el ganado, y sobre toda la tierra, y sobre todas y cada una de las criaturas que se arrastran por el suelo."
2. https://theguardian.com/environment/2015/sep/26/snakebites-kill-hundreds-of-thousands-worldwide
3. https://www.gatesnotes.com/Health/Most-Lethal-Animal-Mosquito-Week
4. https://www.who.int/en/news-room/fact-sheets/detail/malaria

5. http://www.mosquitoworld.net/when-mosquitoes-bite/diseases/
6. https://www.oxitec.com/friendly-mosquitoes/
7. Kyrou, K., Hammond, A.M., Galizi, R., Kranjc, N., Burt, A., Beaghon, A.K., Nolan, T., Crisanti, A., "A CRISPR-Cas9 gene drive targeting doublesex causes complete population suppression in caged Anopheles gambiae mosquitoes". *Nat. Biotechnol.* (24 de setiembre de 2018); doi: 10.1038/nbt.4245.
8. https://www.efsa.europa.eu/en/press/news/180228.
9. http://eee.invasivespeciesinitiative.com/cane-toad/
10. http://biology.anu.edu/,au/successful-example-biological-control-and-its-explanation
11. https://biocontrol.entomology.cornell.edu/success.php
12. http://www.bats.org.uk/pages/why_bats_matterr.html
13. https://www.telegraph.co.uk/news/2018/03/02/remote-scottish-islands-declared-rat-free-rodents-lured-captivity/
14. https://www.smithsonianmag.com/smart-news/after-worlds-largest-rodent-eradication-effort-island-officiallyu-rodent-free-180969039/
15. https://www.biorxiv.org/content/biorxiv/early/2018/07/07/362558.full.pdf
16. https://www.doc.govt.nz/nature/pests-and-threats/predator-free-2050/
17. Loss, S.R., Will, T., Marra, P.P., "The impact of free-ranging domestic cats on wildlife of the United States". *Nat. Commun* (2013); 4: 1396.

Capítulo 9

1. Trible W., Olivos-Cisneros L., McKenzie S.K., Saragosti J., Chang N.C., Matthews B.J., Oxley P.R., Kronauer D.J.C.. '*orco* Mutagenesis Causes Loss of Antennal Lobe Glomeruli and Impaired Social Behavior in Ants'. *Cell* (10 de agosto de 2017); 170(4): 727-735.
2. Zhang, L., Mazo-Vargas, A., Reed, R.D.. "Single master regulatory gene coordinates the evolution and development of butterfly color and iridescence". *Proc. Natl. Acad. Sci. USA* (3 de octubre de 2017); 114(40): 10707-10712.
3. Mazo-Vargas, A., Concha, C., Livraghi, L., Massardo, D., Wallbank, R.W.R., Zhang, L., Papador, J.D., Martínez-Nájera, D., Jiggins, C.D., Kronforst, M.R., Breuker, C.J., Reed, R.D., Patel, N.H., McMillan, W.O., Martin, A. "Macroevolutionary shifts of WntA function poten-

tiate butterfly wing-pattern diversity". *Proc. Natl. Acad. Sci. USA* (3 de octubre de 2017); 114(40): 10701-10706.

4. Nicholas Wade. "Genes colour a butterfly's wings. Now scientists want to do it themselves". *The New York Times* (18 de setiembre de 2017).
5. *Ibid.*
6. Fei, J.F., Schuez, M., Knapp, D., Taniguchi, Y., Drechsel, D.N., Tanaka, E.M., "Efficientg gene knockin in axolotl and its use to test the role of satellite cells in limb regeneration". *Proc. Natl. Acad. Sci. USA* (21 de noviembre de 2017); 114(47): 12501-12506.
7. Fei, J.F., Knapp, D., Schuez, M., Murawala, P., Zou, Y., Pal Singh, S., Drechsel, D., Tanaka, E.M., "Tissue- and time-directed electroporation of CAS9 protein-gRNA complerxes in vivo yields efficient multigene knockout for studying gene function in regeneration". *NPJ Regen. Med.* (9 de junio de 2016); 1: 16002.
8. Para una descripción completa del trabajo de Azim Surani, y para más detalles sobre estas modificaciones epigenéticas, recomiendo encarecidamente mi propio libro *The Epigenetics Revolution,* publicado el año 2011 por Icon (en castellano, *La revolución epigenética,* Buridán) y todavía, no tengo reparos en decirlo, muy útil.
9. Li, Z.K., Wang, L.Y., Wang, L.B., Feng, G.H., Yuan, X.W., Liu, C., Xu, K., Li, Y.H., Wan, H.F., Zhang, Y., Li, Y.F., Li, X., Li, W., Zhou, Q., Hu, B.Y., "Generation of Bimaternal and Bipaternal Mice from Hypomethylated Haploid ESCs with Imprinting Region Deletions". *Cell Stem Cell* (9 de octubre de 2018); pii: S1934-5909 (18): 30441-7.
10. Liu, X.S., Wu, H., Ji, X., Czauderna, S., Shu, J., Dadon, D., Young, R.A., Jaenisch, R. "Editing DNA Methylation in the Mammalian Genome". *Cell* (22 de setiembre de 2016); 167(1): 233-247. e17.

Capítulo 10

1. https://www.scientificamerican.com/article/dispùted-crispr-patents-stay-with-broad-institute-u-s-panel-rules/
2. https://www.bionews.org.uk/page_138455
3. https://www.the-scientist.com/the-nutshell/epo-revokes-broads-crispr-patent-30400
4. https://www.statnews.com/2016/08/16/crispr-patent-fight-legal-bills-soaring/
5. https://www.fiercebiotech.com/biotech/editas-commits-125m-to-

broad-secure-source-genome-editing-inventions
6. Lander, E.S., "The Heroes of CRISPR". *Cell* (14 de enero de 2016); 164(1-2): 18-28.
7. https://www.scientificamerican.com/article/the-embarrassing-destructive-fight-over-biotech-big-breakthrough/
8. *Ibid.*
9. https://www.statnews.com/2018/05/31/crispr-scientists-kavli-prize-nanoscience/
10. https://breakthroughprize.org/Laureates/2/P1/Y2015
11. https://gruber.yale.edu/prize/2015-gruber-genetics-prize
12. https://gairdner.org/2016-canada-gairdner-award-winners/
13. https://www.nobelprize.org/prizes/medicine/2012/press-release

Índice